MW00640062

商务馆 HSK 丛书

世界汉语教学学会　审订

# HSK
## （初、中等）
# 全攻略词汇手册

**HSK Strategies Vocabulary Handbook**
**(Elementary-Intermediate)**

朱　宁　赵　菁　编著

商務印書館
THE COMMERCIAL PRESS

2009 年 · 北京

**图书在版编目(CIP)数据**

HSK(初、中等)全攻略词汇手册/朱宁,赵菁编著.—北京:商务印书馆,2007

(商务馆 HSK 丛书)

ISBN 978-7-100-05264-1

I. H… II. ①朱…②赵… III. 汉语-词汇-对外汉语教学-水平考试-自学参考资料 IV. H195.4

中国版本图书馆 CIP 数据核字(2005)第 150323 号



HSK (CHŪ ZHŌNG DĚNG) QUÁN GŌNGLÜÈ CÍHUÌ SHǑUCÈ

**HSK(初、中等)全攻略词汇手册**

朱 宁 赵 菁 编著

---

商 务 印 书 馆 出 版

(北京王府井大街 36 号 邮政编码 100710)

商 务 印 书 馆 发 行

三河市艺苑印刷厂印刷

ISBN 978-7-100-05264-1

---

2007 年 6 月第 1 版　　开本 787×960 1/32

2009 年 3 月第 2 次印刷　　印张 8 5/8

印数 4 000 册

定价: 32.00 元

丛书主编　赵　菁

丛书作者　赵晓非　徐文娟
　　　　　朱　宁　赵　菁

# “HSK(初、中等)全攻略丛书”简介

## 《HSK(初、中等)全攻略教程》

《HSK(初、中等)全攻略教程》是针对考试前1—4个月的应试者编写的HSK短期应试教材，是一本将教学指导与强化训练相结合的HSK教材，适用于各类短期班及自学者。

全书分为听力、语法、阅读、综合共20攻略，最后有全套仿真试题两套。每一攻略内容包括重点提示、例题精解、考点与技巧、模拟测试4部分。

它将《中国汉语水平考试大纲[HSK(初、中等)]》中的核心词汇、语法难点、常见组合、阅读重点、技巧步骤等进行了归纳，并用表格、图示等方式呈现出来，以帮助应试者在短时间内将所学过的语言点进行一次全面的梳理和集中强化训练，以寻求HSK成绩在短时间内的最大提升。

《HSK(初、中等)全攻略教程》是该套丛书的主教材。

## 《HSK(初、中等)全攻略习题集》

《HSK(初、中等)全攻略习题集》一共包括8套仿

真试题，其中第一套全部由经典例题组成，带有详细的语法注释，目的在于巩固在《HSK（初、中等）全攻略教程》中所学到的知识。另外的 7 套仿真试题将进一步拓展语法点和词汇量，尽量地覆盖《中国汉语水平考试大纲[HSK（初、中等）]》中所有的语法点和词汇，同时，将指导训练与水平测试有机地结合起来，在实战中积累经验、寻求质的飞跃。

## 《HSK（初、中等）全攻略语法手册》

《HSK（初、中等）全攻略语法手册》是一本 HSK 语法的口袋书，它将《HSK（初、中等）全攻略教程》和《中国汉语水平考试大纲[HSK（初、中等）]》中的重要语法点全部提炼出来，加以更为系统的归纳和整理，并通过表格的方式呈现出来，以方便应试者快速记忆和查阅。

## 《HSK（初、中等）全攻略词汇手册》

《HSK（初、中等）全攻略词汇手册》是一本 HSK 词汇的口袋书，它将《HSK（初、中等）全攻略教程》中的核心词汇全部标记出来，将《中国汉语水平考试大纲[HSK（初、中等）]》中的全部词汇加以归纳和分类，并将常见的 60 组核心词及常见组合用表格的方式排列出来，以方便查阅，有助于提高应试者的理解记忆和辨析能力。

# An Introduction to the *HSK Strategies Series* (*Elementary-Intermediate*)

### *HSK Strategies*: *Course Material* (*Elementary-Intermediate*)

*HSK Strategies*: *Course Material* is a set of short-term teaching materials for those who plan to take the HSK within one to four months. It is a set of teaching materials for the HSK, which combines instructions and intensive exercises. The volume is designed for all short-term courses and independent learners.

Consisting of twenty strategies, the volume includes listening, grammar, reading and comprehensive exercises. It also presents two complete practice tests in the final unit. Each strategy covers four parts, namely, illustrations of the strategy's key points, analyses of typical examples, test points and skills, and simulated tests.

Including charts and tables, the volume gives a complete coverage of key words, grammar difficulties, frequently tested phrases, key points in reading, and procedures and skills for solving problems covered in *The Outline of the HSK* (*Elementary-Intermediate*). The layout is designed to help the readers sort out all the language points they have learned through intensive study so that they will be able to maximize their HSK scores in a short period of time.

*HSK Strategies*: *Course Material* (*Elementary-Intermediate*) is the flagship book in this series.

### *HSK Strategies*: *Exercise Book* (*Elementary-Intermediate*)

*HSK Strategies*: *Exercise Book* has eight practice tests. The first test is composed of typical examples with detailed grammar notes. This book aims at strengthening readers' knowledge learned from *Course Material*. On the basis of the first test, the other seven tests further expound other grammar points and vocabulary and cover all the grammar points and vocabulary included in *The Outline of the HSK* (*Elementary-Intermediate*). Meanwhile, the book includes both guided exercises and tests of varying difficulty. Readers will be able to accumulate experience through the practice tests and achieve significant improvement.

### *HSK Strategies*: *Grammar Handbook* (*Elementary-Intermediate*)

*HSK Strategies*: *Grammar Handbook* is a pocket book, which includes all the key grammar points from *Course Material* and *The Outline of the HSK* (*Elementary-Intermediate*). In order to make it easy for the readers to memorize and consult, all key points are organized in charts and tables.

### *HSK Strategies*: *Vocabulary Handbook* (*Elementary-Intermediate*)

*HSK Strategies*: *Vocabulary Handbook* is a pocket

book on HSK vocabulary, which includes all the core words in *HSK Strategies: Course Material* (*Elementary-Intermediate*). All words in categories A, B and C of *The Outline of the HSK Test* (*Elementary-Intermediate*) are included and classified based on the semantic criterion. In order to make it easy for the reader to memorize and understand, the book systematically lists all those 60 groups of core words, frequently tested phrases and differentiation of easily confused words in charts.

# 『HSK(初・中等)全攻略』シリーズの紹介

## 『HSK(初・中等)全攻略　教程』

『HSK(初・中等)全攻略 教程』は、試験1～4ヶ月前から準備をはじめる受験者を対象に作成されたHSK短期強化テキストです。本書は、学習指導と強化トレーニングがセットになった教材のため、各種短期クラス・独学受験者の両方にふさわしいものです。

本書は、"听力"(ヒアリング)、"语法"(文法)、"阅读"(読解)、"综合"(総合穴埋)の計"20攻略"と、二回分の"仿真试题"(模擬テスト)で構成されています。各"攻略"にはすべて"重点提示"(内容説明)、"例题精解"(例題解説)、"考点与技巧"(出題ポイントとコツ)、"模拟测试"(練習問題)の4項目があります。

また本書では、『中国漢語水平考試大綱[HSK(初・中等)]』にある"核心词汇""语法难点""常见组合""阅读重点""技巧步骤"などを図表を使って簡単にまとめ、受験者がこれまでに学習してきた内容を短期間ですべて整理し、集中的に強化トレーニングができるように、そして短期間でHSKの成績をよりいっそう伸ばすことができるように心がけました。

本書は『HSK(初・中等)全攻略』シリーズ中で中核をなす教材です。

### 『HSK（初・中等）全攻略　习题集』（練習問題集）

『HSK（初・中等）全攻略 习题集』（練習問題集）には全部で8回分の模擬テストが収められています。第1回模擬テストはすべて代表的な例題から出題されています。また、詳しい文法解説をつけ、上掲の『HSK（初・中等）全攻略 教程』で学習した内容がしっかりと身につくように配慮しました。残り7回分の模擬テストでは、さらに文法項目と語彙数を広げ、『中国漢語水平考試大綱[HSK（初・中等）]』にある文法項目と語彙を可能な限り網羅するように心がけました。また、学習指導と模擬テストを適度に組合わせることで、実践力を養いレベルアップが図れる構成になっています。

### 『HSK（初・中等）全攻略　语法手册』（文法編）

『HSK（初・中等）全攻略 语法手册』（文法編）はHSK文法編のポケットブックです。本書は『HSK（初・中等）全攻略 教程』と『中国漢語水平考試大綱[HSK（初・中等）]』にある重要な文法項目をすべて抜き出して体系的にまとめたものです。要点は表に整理してあり、調べやすく覚えやすい構成になっています。

### 『HSK（初・中等）全攻略　词汇手册』（語彙編）

『HSK（初・中等）全攻略 词汇手册』（語彙編）はHSK語彙編のポケットブックです。本書では、『HSK（初・中等）全攻略 教程』にある“核心词汇”をすべて抜き出して、一目ですぐわかるように示してあります。また

『中国漢語水平考試大綱[HSK(初・中等)]』にあるすべての語彙を本書独自の方法で分類しています。さらに、計60組からなる“核心词”(重要単語)と“常见组合”(コロケーション)を図表を使ってまとめてあり、辞典のように調べやすくなっています。本書によって、“核心词汇”に対する理解を深め、分析力の向上が図れます。

# 《HSK(초, 중등)집중공략 시리즈》 소개

## 《HSK(초, 중등)집중공략》(강좌)

《HSK(초, 중등)집중공략》(강좌)는 시험을 1—4 개월 앞둔 응시자를 위해 편집된 속성 HSK 실전 교재이며, 기본 강의 내용과 실전 강화가 결합된 HSK 교재로써 각종 단기반과 독학자에게 적합하다. 구성을 보면, 듣기 영역, 어법 영역, 독해 영역, 종 합 영역 총 20 개 급소 공략과 2 개 모의고사로 이루어져 있고, 매 급소 공략은 실전 대책, 예제, 요점 및 기술, 테스트 4 개 부분으로 구성되어 있다. 요강 중의 핵심 단어, 어법 오류, 상용구문, 중요 독해, 문제 풀이 기교를 총정리 하였으며, 도표 및 그림 등 가장 간결한 방법으로 표시하여 응시자가 단기간 내에 이미 배운 내용을 체계적으로 정리하고 집중 훈련하게 함으로써 단기간 내에 HSK 성적을 최대한 높일 수 있게 하였다.

《HSK(초, 중등)집중공략》(강좌)는 이 시리즈의 주요 교재이다.

## 《HSK(초, 중등)집중공략》(연습문제)

《HSK(초, 중등)집중공략》(연습문제)는 총 8 개의 실전 모의고사 문제로 구성되어 있다. 그 중 제1 세트는 중요 예제로 구성되어 있으며, 상세한 어법 해석이 실려 있는데, 《HSK(초, 중등)집중공략》(강좌)에서 배운 내용을 한번 더 다지기 위해서이다. 그 밖에 7 세트의 실전 모의고사는 주요 어법과 단어량을 늘리고자 하였으며, 요강 중의 어법과 단어를 대부분 실은 동시에 실전 훈련과 수준 테스트를 결합하여 실전 경험을 늘리고 실력을 향상시키고자 하였다.

## 《HSK(초, 중등)집중공략》(어법수첩)

《HSK(초, 중등)집중공략》(어법수첩)은 HSK 어법 포켓 북으로써, 《HSK(초, 중등)집중공략》(강좌)와 《中国汉语水平考试大纲(初、中等)》의 중요 어법 내용을 선별하여 체계적으로 정리하고, 도표 방식으로 표현함으로써 응시자가 효과적으로 암기하고 색인할 수 있게 하였다.

## 《HSK(초, 중등)집중공략》(단어수첩)

《HSK(초, 중등)집중공략》(단어수첩)은 HSK 단

어의 포켓 북으로써, 《HSK(초, 중등)집중공략》(강좌) 중의 핵심 단어를 모두 표기하고, 《中国汉语水平考试大纲[HSK(初、中等)]》의 모든 단어를 분류하고, 상용 60 개 조(组) 핵심단어 및 상용 조합단어를 표의방식으로 나열해 내어 쉽게 찾아 볼 수 있게 하였을 뿐만 아니라, 응시자의 이해, 암기와 변별 능력에 도움을 줄 수 있도록 하였다.

# 前　言

《HSK(初、中等)全攻略词汇手册》是一本专门为HSK(初、中等)应试者编写的词汇学习口袋书。作为《HSK(初、中等)全攻略》丛书的重要组成部分,它是与主教材《HSK(初、中等)全攻略教程》配套使用的辅助性教材。

在HSK测试中,每一部分的试题都离不开词汇,可以说,对词汇的准确理解和灵活运用是应试者取得理想成绩的关键。因此,为了帮助大家快速、有效地突破词汇难关,我们从实用的角度编写了这本小册子。

## 一、本书的主要内容

全书8万字,主要由四大部分构成,总体结构如下:

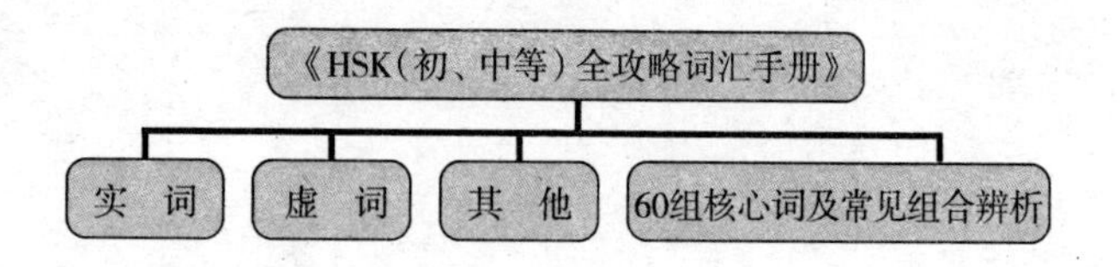

在广泛、深入地研究了 HSK 考试中词汇内容的基础上，汇集了《中国汉语水平考试大纲[HSK(初、中等)]》(北京语言大学汉语水平考试中心编制 2004 年 9 月，第 9 版)中全部甲、乙、丙三级词汇，我们对词汇进行了分类编排；并对其中最重要的名词、动词、形容词、副词进行了语义上的划分；为方便使用，所有词汇都带有注音；并用蓝色底纹标记出了 HSK 考试中常见、常考的核心词汇，最后，我们将习用语、成语、常用格式单独提炼出来，全部以表格的形式清楚、直观地呈现给大家，以方便大家学习、记忆。

词语辨析是 HSK 考试中的一大难点。针对这一难点，我们精心挑选了 60 组最常考的同义词、近义词、形近词和常见组合进行了全方位、多角度的解释与辨析。

## 二、本书的特色

### 即时查找、使用方便

口袋书最大的好处就在于体积小、便于携带。无论是在等车时，还是在公车上，应试者都可以随时随地翻看这本小册子，最大化地利用零散时间，提高备考效率。

## 标记重点、核心突出

应试的基本策略就是在最短的时间内首先抓住最常考的知识点，然后再以此为核心向边缘扩展。本书即以此为原则，用蓝色底纹标记出了 HSK 考试中常见、常考的核心词汇，并将习用语、成语、常用格式单列出来，这可以帮助应试者在把握 HSK 词汇考查范围的同时，还能做到分层次、分主次地理解和记忆，从而提升应试能力。

## 对比记忆、实用有效

我们将 HSK(初、中等)全部词汇按照类别进行排列，这样做最大的好处就在于可以将同一类型的词集中记忆、对比记忆、快速记忆，攻克词汇记忆的难关。

## 辨析详尽、提升能力

辨析最重要的就是要学会从多角度寻找差异。本书所列的 60 组核心词和常见组合辨析详细、全面，不仅可以帮助应试者准确掌握常考近义词之间的细微差别，还可以使应试者通过实例分析掌握一系列词语辨析的角度，从而提升词语的辨析能力，在未来的学习和考试中不再畏惧辨析生词。

在此要特别感谢本书的英文翻译朱宁、韩文翻译徐文娟、日文翻译[日]吉田泰谦。同时,十分感谢日本札幌学院大学的山崎哲永副教授对我们的工作给予的大力支持。

一本小册子不足以覆盖全部重点,但我们衷心希望《HSK(初、中等)全攻略词汇手册》能在大家的备考过程中提供实用、有效的帮助,并成为一本深受欢迎的书!

最后,祝大家在未来的 HSK 考试中取得理想的成绩!

编　者

2006 年 4 月

# Preface

*HSK Strategies*: *Vocabulary Handbook* (*Elementary-Intermediate*) is a pocket book of the HSK words prepared for those who are going to take the HSK test. As an important part of the ***Comprehensive Strategies of HSK Series***, it is a supplementary material to ***the course book***.

A good command of vocabulary is crucial for each part of the HSK test. In other words, understanding words precisely and using them in an unmarked way ensure a high HSK score. This handbook was compiled to efficiently equip the reader with the useful and practical vocabulary for both the HSK test and the real life.

## Main Contents of This Book

The book consists of 4 units in some 80,000 words whose structure is described in the following diagram.

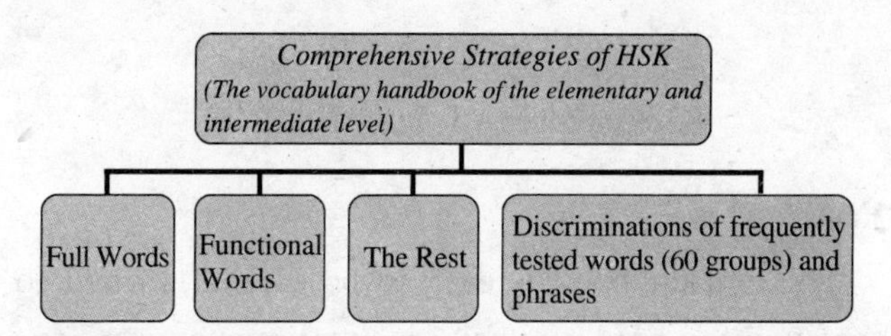


Based on thorough and wide investigations on the words in the HSK test, we have included all the words in categories A, B and C of *The Outline of the HSK Test* (*Elementary-Intermediate*) (compiled by the HSK Testing Center, BLCU, Sep 2004. The 9th edition) and classified them according to the criterion of semantic meaning. To make it handy, phonetic notation of every word is included, and those frequently tested core words are marked with blue shading. In order to facilitate the process of learning and memorizing, we have singled out the frequently tested phrases, idioms and combinations in charts.

Differentiating and analysing easily confused words is a most difficult part in the HSK test. To remove this obstacle, we have carefully chosen 60 groups of most frequently tested synonymies, semblable words and combinations, which have been explained and analyzed comprehensively.

## Features of This Book

**Easy to use**

This pocket book is easy to be carried around so that you can read it anywhere any time you want to. No matter when waiting for bus at the station or on the way to somewhere, examinees can look through this booklet at any moment or any place, so that to raise your efficiency for preparing HSK through utilizing spare time maximally.

**Key language points highlighted**

The fundamental strategy for taking an HSK test is to grasp the most frequently tested language points as soon as possible, based on which one can expand his or her language knowledge. That's why we have marked those frequently tested core words with blue shading. Besides, we also tabulated all those frequently tested phrases, idioms and combinations so that it would be easier for the reader to understand and memorise them according to their different levels of priority.

**Compare and remember**

We have classified all the HSK words (elementary-intermediate) in light of semantic criterion so as to make it convenient for the examinee to memorise them systematically, contrastively and effectively, and consequently overcome the HSK word difficulty.

**Precise differentiation and analysis**

What's most important in words differentiation is trying to detect subtle differences among those easily confused words. This book systematically and detailedly differentiates all those 60 groups of core words and frequently tested combinations. It helps examinees understand the meanings of frequently tested synonymies as well as learn a set of skills for words differentiation through analyzing examples. Consequently words differentiation will no longer be a nightmare for the examinees.

We would like to express our heartfelt thanks to Zhu Ning (the English translator), Xu Wenjuan (the Korean translator) and Yoshita Hiroaki (the Japanese translator). Our gratitude also goes to Associate Prof. Yamazaki Akie (Sapporo Gakuin University, Japan) for his unswerving support.

It's not quite possible to include each and every key point in a handbook like this. However, we sincerely hope that *HSK Strategies: Vocabulary Handbook (Elementary-Intermediate)* could help to the examinees get well prepared for the HSK test. We also wish that this book would become popular!

In the end, we would like to take the opportunity to wish every one a successful HSK test!

The editors

April, 2006

# まえがき

『HSK（初・中等）全攻略　词汇手册』(語彙編)はHSK(初・中等)受験者を対象に作成された語彙学習用のポケットブックです。本書は、『HSK（初・中等)全攻略』シリーズのなかで重要な役割を担った一冊であり、『HSK（初・中等)全攻略 教程』の補助教材です。

HSKのすべての試験項目において、語彙は重点の一つです。つまり、語彙の意味を正しく理解し、臨機応変に活用できることは、優秀な成績を修めるキーポイントなのです。そこで、学習者のみなさんが短期間で効果的にトレーニングをして、語彙という難関を突破できるように、本書は学習者の実践力強化を重点においた構成になっています。

## 一、本書の内容

本書は原書で約8万字にのぼる充実した内容を誇っています。本書の全体は、以下のように四つの項目から構成されています。

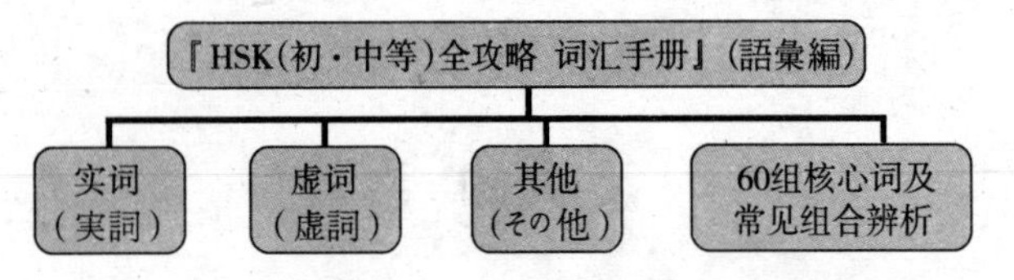


60组核心词及常见组合辨析

(重要単語とコロケーション(計60組)の分析)

本書では、これまでにHSK(初・中等)で出題された語彙をすべて把握した上で、『中国漢語水平考試大綱[HSK(初・中等)]』(第9版)(北京語言大学漢語水平考試中心編集2004年9月)にある「甲級」・「乙級」・「丙級」語彙を中心にすべて抜き出し、独自の方法で語彙の分類をしています。そして、なかでも更に重要である名詞、動詞、形容詞、副詞においては、それぞれを意味の方面から分類しています。

本書では、学習者の負担をできる限り少なくするために、すべての語彙には発音記号(ピンイン)をつけてあります。また、学習者が一目ですぐわかるように、HSKでよく見られる"核心词汇"(重要語彙)と頻繁に出題される"核心词汇"(重要語彙)には、下に青色の波線を引いてあります。慣用語、成語、"常用格式"(常用形式)については、一般の語彙とは別に抜き出し、表を使ってまとめてあります。このように、学習者ができる限り短期間で重点内容を把握し、簡単に記憶できるように心がけました。

HSKの中でも難問の一つに"词语辨析"(語句分

析)があります。そこで、本書では同義語、類義語、"形近词"(字形が似ている語)、"常见组合"(コロケーション)をあわせて60組選り抜き、詳しい分析と解説を付け加えました。

## 二、本書の特色

### コンパクトで便利

本書はポケットサイズで携帯に便利です。いつでもどこにでも手軽に持ち歩いて学習できます。バス・電車の待ち時間やバス・電車の中での時間など、細切れ時間を上手に使って万全の準備で試験に臨んでください。

### 重点内容が一目瞭然

学習計画を立てるときは、試験で頻繁に出題される重点項目から学習をはじめ、そこから学習内容の幅を広げてゆくという順で計画するのが定石です。本書は、HSKでよく見られる"核心词汇"(重要語彙)と頻繁に出題される"核心词汇"(重要語彙)を一目ですぐわかるように示し、また慣用語、成語、"常用格式"(常用形式)を個別に抜き出しまとめてあります。こうして、学習者がHSKの語彙出題範囲を簡単に把握できるように、また各自の準備期間・目的などにあわせて学習計画が立てられるように心がけました。

## 効率よく、自然に暗記

本書は、HSK(初・中等)で出題範囲となるすべての語彙をタイプ別に分けまとめてありますので、学習者が同じタイプの語彙を集中的に覚えたり、比較しながら覚えたりしやすい構成になっています。効率的な学習方法によって、より多くの語彙が自然と身につくように心がけました。

## 詳しい分析で実力アップ

語彙分析において最も重要なことは、各語彙を幅広い視点から分析し、それぞれの相違点を的確に見つけ出すことです。本書では、学習者がこのような語彙分析力を身につけることができるように、"核心词"(重要単語)と"常见组合"(コロケーション)をあわせて60組選り抜き、すべてに詳しい分析と解説を付け加えました。ここでは、学習者が類義語の相違点を正しく理解するだけにとどまらず、用例分析を通してさまざまな分析方法を習得することを目指しています。分析力をしっかりと身につけてしまえば、語彙分析問題は恐れるに足りません。

本書の執筆にあたり、朱寧氏(英語訳担当)、徐文娟氏(ハングル語訳担当)、[日本]吉田泰謙氏(日本語訳担当)にはたいへんお世話になりました。加えて、日本札幌学院大学の山崎哲永助教授には数々のご指導を賜りました。ここにあわせて心から感謝申し上げます。

もちろん、一冊の本だけですべてを網羅することはできませんが、私たちは本書がHSK受験者のみなさんにとって大いに役立つ一冊となるようにと願いながら、本書を執筆いたしました。

最後に、受験者のみなさんが優秀な成績を修められることを切にお祈りいたします。

著 者

2006年4月

# 머리말

《HSK(초, 중등)집중공략》(단어수첩)은 HSK(초, 중등)응시자를 위해 편찬된 단어 학습 포켓 수첩이다. 또한《HSK(초, 중등)집중공략》시리즈의 주요 구성 파트로써 주교재인《HSK(초, 중등)집중공략》(강좌)와 함께 사용되는 보조적 성격의 교재이다.

HSK 테스트 중, 매 부분의 문제는 모두 단어를 벗어날 수 없으며, 단어에 대한 정확한 이해와 자유로운 운용이 응시자가 원하는 이상적인 성적을 얻을 수 있는 관건이라고 말할 수 있다. 그러므로, 여러분의 빠르고 효율적으로 단어 학습의 난관을 돌파하는 것을 돕기 위해 실용적인 각도에서 이 단어수첩을 만들게 되었다.

1. 본 교재의 주요 내용

본 교재는 8 만자 분량이며, 4 개 부분으로 나누어져 구성되어 있다. 그 구조는 다음과 같다:

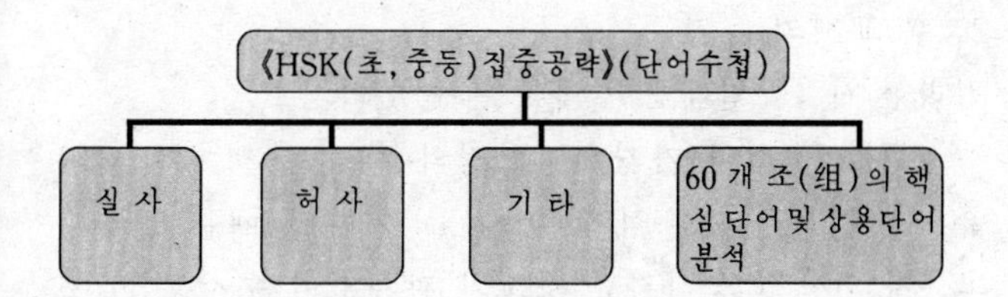


HSK 시험 중의 단어에 관한 광범위하고 심도 깊은 연구의 기초 하에《中国汉语水平考试大纲[HSK(初、中等]》(北京语言大学汉语水平考试中心编制, 2004 年 9 月第 9 版)중 갑, 을, 병 세 등급의 단어를 모두 분류 및 배열하였다. 그 중 가장 중요한 명사, 동사, 형용사, 부사는 의미상의 구별을 하여 사용의 편리를 더하였다. 또한 모든 단어에 한어 병음을 표기하였고, HSK 시험 중 자주 나오는 핵심 단어는 파란색 밑줄을 더해 별도로 표기하였다. 마지막으로, 관용어, 성어, 상용구는 별도로 추출하여 표의 형식으로 정리하여 응시자의 학습과 기억에 도움을 주고자 하였다.

단어 분별 및 분석은 HSK 시험의 가장 큰 난관이다. 이 점에 착안하여 60 개 조(组)의 가장 출제 빈도가 높은 동의어, 유의어, 형태가 비슷한 단어와 상용구에 대하여 다각도로 해석과 분석을 하였다.

2. 본 교재의 특징

**편리한 사용: 언제든지 찾아볼 수 있다.**

포켓 수첩의 가장 큰 장점의 하나는 크기가 작아 휴대가 편리하다는 점이다. 차를 기다릴 때는 물론이고, 차 안에서 응시자는 장소와 관계없이 수시로 이 책자를 사용할 수 있으므로 자투리 시간을 이용하여 시험 대비를 효율적으로 할 수 있다.

**포인트 표기: 핵심이 보인다.**

시험 응시의 주요 전략은 가장 짧은 시간 내에 가장 출제 빈도가 높은 핵심 요점을 파악한 후, 이를 중심으로 그 주변으로 확장해 나가는 것이라고 할 수 있다. 본 교재는 이를 원칙으로 하여 HSK 시험에서 상용되고 출제 빈도가 높은 핵심단어를 별도로 표기하고, 관용어, 성어, 상용구를 표의 형식으로 배열하여 응시자가 HSK 단어의 전체 범위를 파악함과 동시에 단어를 단계별, 중요도별로 이해하고 기억함 으로써 응시 능력을 제고시킬 수 있다.

**효과 만점: 비교해서 암기한다.**

본 교재는 HSK(초, 중등)의 단어를 원칙에 의거 분류, 배열하였다. 이 방식의 가장 큰 장점은 같은 유형의 단어를 모아서 함께 기억하고, 비교해서 기억할 수 있어서 단어 암기의 어려움을 극복할 수 있다.

**상세한 분석: 단어 실력을 향상시킨다.**

단어 분석의 가장 중요한 핵심은 다각도에서 그 차이를 찾는 것이다. 본 교재가 분류한 60 개 조(组)의 핵심 단어와 상용 조합 분석은 상세하고 또한 전범위를 다루고 있어서 응시자의 유의어의 미세한 차이를 정확하게 파악할 수 있을 뿐만 아니라, 응시자가 실제 예문 분석을 통해서 일련의 단어 분석의 각도를 파악함으로써 단어 변별 능력을 향상시켜서 앞으로의 중국어 학습과 시험 중 마주치는 새로운 단어에 대한 두려움을 없앨 수 있다.

이 자리를 빌어 본 교재의 영문 번역을 맡아주신 朱宁선생님, 한글 번역을 맡아주신 徐文娟 선생님, 일어 번역을 맡아주신 [日]吉田泰谦 선생님께 깊은 감사를 드린다.

작은 책자에 전체 중요 부분을 담기에는 부족하지만, 《HSK(초, 중등)집중공략》(단어수첩) 이 응시자의 시험 준비 과정 중 유용하게 쓰이길 진심으로 바랄 뿐이다.

마지막으로 HSK 시험을 준비하시는 모든 학생 여러분이 원하는 성적을 거두길 진심으로 기원한다.

편집자

2006 년 4 월

# 使用说明

本手册由四部分构成：实词、虚词、其他、60 组核心词及常见组合辨析。

第一至第三部分，是根据词的特性进行的分类词表。

实词部分主要是从语义的角度进行分类。这样可以方便应试者将同一类别的词集中记忆，还可以帮助应试者熟悉 HSK 测试中的干扰选项。

比如说，如果你对表示动作的动词如“打、抓、捉、拔”等掌握得不太好，你就可以查找手册中第一部分第二章第一节二“表示身体动作、活动的动词”这一类别，里面还特别区分了单音节动词与双音节动词。

虚词部分主要是从语法及语义功能的角度进行的分类。

比如说，如果你对大纲中都有哪些时间副词不太清楚，你可以查找第二部分第一章第一节“时间副词”，里面按照词汇的甲乙丙三级进行了分类。

其他部分主要是不属于词的层级的词缀、习用语、成语以及各种搭配结构。

此外，在词表中我们还特别用蓝色底纹标记出了一些重点词，是我们认为使用频率较高的词汇。

最后一部分，对 60 组最常见最易混淆的近义词进行了全方位多角度的辨析。希望能有助于提高应试者综合填空部分的应试能力。

# 目　录

## 第一部分　实词

## 第二部分　虚　词

## 第三部分　其　他



## 第四部分　60 组核心词及常见组合辨析

# 第一部分　实　词

第一章：名词的语义分类
第二章：动词的语义分类
第三章：形容词的语义分类
第四章：主要兼类词
第五章：数量词
第六章：代词

# 第一章　名词的语义分类

## 第一节　与人相关的名词

### 一、人物称谓名词

| 甲级 | | | |
|---|---|---|---|
| 爸爸 | bàba | 妈妈 | māma |
| 弟弟 | dìdi | 妹妹 | mèimei |
| 儿子 | érzi | 母亲 | mǔqīn |
| 夫人 | fūren | 女儿 | nǚ'ér |
| 父亲 | fùqīn | 师傅 | shīfu |
| 哥哥 | gēge | 同志 | tóngzhì |
| 姑娘 | gūniang | 先生 | xiānsheng |
| 孩子 | háizi | 小孩儿 | xiǎoháir |
| 姐姐 | jiějie | 小姐 | xiǎojiě |
| **乙级** | | | |
| 阿哥 | āgē | 伯母 | bómǔ |
| 阿姨 | āyí | 姑姑 | gūgu |
| 爱人 | àiren | 老大妈(大妈) | lǎodàmā(dàmā) |
| 伯父(伯伯) | bófù(bóbo) | 老大娘(大娘) | lǎodàniáng(dàniáng) |

| 老大爷（大爷） | lǎodàye（dàye） | 叔叔 | shūshu |
|---|---|---|---|
| 老太太 | lǎotàitai | 太太 | tàitai |
| 老头儿 | lǎotóur | 小伙子 | xiǎohuǒzi |
| 奶奶 | nǎinai | 小朋友 | xiǎopéngyǒu |
| 女士 | nǚshì | 爷爷 | yéye |
| 妻子 | qīzi | 丈夫 | zhàngfu |
| 嫂子 | sǎozi | | |
| **丙 级** | | | |
| 大哥 | dàgē | 娘 | niáng |
| 大嫂 | dàsǎo | 婶子 | shěnzi |
| 弟兄 | dìxiong | 孙女 | sūnnǚ |
| 爹 | diē | 孙子 | sūnzi |
| 儿女 | érnǚ | 外祖父 | wàizǔfù |
| 公 | gōng | 外祖母 | wàizǔmǔ |
| 舅舅 | jiùjiu | 媳妇 | xífù |
| 舅母 | jiùmu | 姨 | yí |
| 老婆 | lǎopo | 祖父 | zǔfù |
| 老人家 | lǎorenjia | 祖母 | zǔmǔ |
| 姥姥 | lǎolao | | |

## 二、表示人物的职业、职务、身份、关系的名词

| **甲 级** | | | |
|---|---|---|---|
| 大夫 | dàifu | 工人 | gōngrén |
| 服务员 | fúwùyuán | 老师 | lǎoshī |
| 干部 | gànbù | 留学生 | liúxuéshēng |

| 农民 | nóngmín | 同学 | tóngxué |
|---|---|---|---|
| 朋友 | péngyou | 文学家 | wénxuéjiā |
| 青年 | qīngnián | 学生 | xuéshēng |
| 人 | rén | 医生 | yīshēng |
| **乙　级** | | | |
| 班长 | bānzhǎng | 技术员 | jìshùyuán |
| 榜样 | bǎngyàng | 记者 | jìzhě |
| 兵 | bīng | 教师 | jiàoshī |
| 病人 | bìngrén | 教授 | jiàoshòu |
| 部长 | bùzhǎng | 教员 | jiàoyuán |
| 大人 | dàren | 经理 | jīnglǐ |
| 党员 | dǎngyuán | 警察 | jǐngchá |
| 敌人 | dírén | 局长 | júzhǎng |
| 读者 | dúzhě | 科学家 | kēxuéjiā |
| 对方 | duìfāng | 科长 | kēzhǎng |
| 队长 | duìzhǎng | 客人 | kèren |
| 对象 | duìxiàng | 老百姓 | lǎobǎixìng |
| 儿童 | értóng | 老板 | lǎobǎn |
| 妇女 | fùnǚ | 老人 | lǎorén |
| 工程师 | gōngchéngshī | 邻居 | línjū |
| 顾客 | gùkè | 领袖 | lǐngxiù |
| 官 | guān | 旅客 | lǚkè |
| 观众 | guānzhòng | 男人 | nánrén |
| 冠军 | guànjūn | 女人 | nǚrén |
| 国王 | guówáng | 强盗 | qiángdào |
| 护士 | hùshi | 亲戚 | qīnqi |
| 皇帝 | huángdì | 群众 | qúnzhòng |

| 人才(人材) | réncái | 员 | yuán |
|---|---|---|---|
| 人物 | rénwù | 院长 | yuànzhǎng |
| 人员 | rényuán | 运动员 | yùndòngyuán |
| 上级 | shàngjí | 战士 | zhànshi |
| 少年 | shàonián | 职工 | zhígōng |
| 书记 | shūji | 主人 | zhǔrén |
| 双方 | shuāngfāng | 主任 | zhǔrèn |
| 司机 | sījī | 主席 | zhǔxí |
| 委员 | wěiyuán | 专家 | zhuānjiā |
| 校长 | xiàozhǎng | 总理 | zǒnglǐ |
| 兄弟 | xiōngdì | 总统 | zǒngtǒng |
| 演员 | yǎnyuán | 作家 | zuòjiā |
| 英雄 | yīngxióng | 作者 | zuòzhě |
| 丙　级 | | | |
| 百姓 | bǎixìng | 夫妻 | fūqī |
| 博士 | bóshì | 妇人 | fùrén |
| 裁缝 | cáifeng | 个体户 | gètǐhù |
| 厂长 | chǎngzhǎng | 公民 | gōngmín |
| 乘客 | chéngkè | 骨干 | gǔgàn |
| 成员 | chéngyuán | 顾问 | gùwèn |
| 大使 | dàshǐ | 寡妇 | guǎfu |
| 导师 | dǎoshī | 贵宾 | guìbīn |
| 地主 | dìzhǔ | 后代 | hòudài |
| 队员 | duìyuán | 华侨 | huáqiáo |
| 犯人 | fànrén | 华人 | huárén |
| 分子 | fènzǐ | 画家 | huàjiā |
| 佛 | fó | 坏蛋 | huàidàn |

| 伙伴 | huǒbàn | 上帝 | shàngdì |
|---|---|---|---|
| 家伙 | jiāhuo | 少女 | shàonǚ |
| 家属 | jiāshǔ | 哨兵 | shàobīng |
| 尖子 | jiānzi | 生 | shēng |
| 将军 | jiāngjūn | 省长 | shěngzhǎng |
| 教练 | jiàoliàn | 诗人 | shīrén |
| 居民 | jūmín | 士兵 | shìbīng |
| 军官 | jūnguān | 市长 | shìzhǎng |
| 军人 | jūnrén | 售货员 | shòuhuòyuán |
| 客 | kè | 司令 | sīlìng |
| 来宾 | láibīn | 特务 | tèwu |
| 来客 | láikè | 天才 | tiāncái |
| 老乡 | lǎoxiāng | 同伴 | tóngbàn |
| 猎人 | lièrén | 同胞 | tóngbāo |
| 烈士 | lièshì | 徒弟 | túdì |
| 流氓 | liúmáng | 团员 | tuányuán |
| 秘书 | mìshū | 团长 | tuánzhǎng |
| 民兵 | mínbīng | 娃娃 | wáwa |
| 模范 | mófàn | 向导 | xiàngdǎo |
| 牧民 | mùmín | 行人 | xíngrén |
| 男子 | nánzǐ | 学员 | xuéyuán |
| 奴隶 | núlì | 学者 | xuézhě |
| 女子 | nǚzǐ | 亚军 | yàjūn |
| 亲人 | qīnrén | 研究生 | yánjiūshēng |
| 穷人 | qióngrén | 婴儿 | yīng'ér |
| 人士 | rénshì | 渔民 | yúmín |
| 商人 | shāngrén | 战友 | zhànyǒu |

| 者 | zhě | 助手 | zhùshǒu |
|---|---|---|---|
| 知识分子 | zhīshi fènzǐ | 自身 | zìshēn |
| 职员 | zhíyuán | 祖先 | zǔxiān |
| 主力 | zhǔlì | | |

## 三、反映人物的外在条件、心理特征、属性的名词

| 甲级 | | | |
|---|---|---|---|
| 技术 | jìshù | 态度 | tàidu |
| 精神 | jīngshén | 条件 | tiáojiàn |
| 经验 | jīngyàn | 样子 | yàngzi |
| 名字 | míngzi | 意见 | yìjiàn |
| 年纪 | niánjì | 意思 | yìsi |
| 水平 | shuǐpíng | 友谊 | yǒuyì |
| 思想 | sīxiǎng | 主意 | zhǔyi |
| 乙级 | | | |
| 爱情 | àiqíng | 观点 | guāndiǎn |
| 本领 | běnlǐng | 劲 | jìn |
| 本事 | běnshi | 精力 | jīnglì |
| 残疾 | cánjí | 看法 | kànfǎ |
| 成果 | chéngguǒ | 礼貌 | lǐmào |
| 成就 | chéngjiù | 理想 | lǐxiǎng |
| 地位 | dìwèi | 立场 | lìchǎng |
| 动作 | dòngzuò | 力量 | lìliang |
| 感情 | gǎnqíng | 力气 | lìqi |
| 感想 | gǎnxiǎng | 毛病 | máobìng |
| 个子 | gèzi | 名 | míng |
| 功夫 | gōngfu | 命运 | mìngyùn |

| 模样 | múyàng | 学问 | xuéwen |
|---|---|---|---|
| 能力 | nénglì | 业务 | yèwù |
| 年龄 | niánlíng | 意志 | yìzhì |
| 脾气 | píqi | 印象 | yìnxiàng |
| 前途 | qiántú | 勇气 | yǒngqì |
| 情绪 | qíngxù | 优点 | yōudiǎn |
| 缺点 | quēdiǎn | 语气 | yǔqì |
| 事业 | shìyè | 原则 | yuánzé |
| 手段 | shǒuduàn | 愿望 | yuànwàng |
| 想法 | xiǎngfǎ | 责任 | zérèn |
| 心得 | xīndé | 职业 | zhíyè |
| 心情 | xīnqíng | 著作 | zhùzuò |
| 信心 | xìnxīn | 专业 | zhuānyè |
| 兴趣 | xìngqù | 状况 | zhuàngkuàng |
| 性格 | xìnggé | 做法 | zuòfǎ |
| 姓名 | xìngmíng | | |
| **丙　级** | | | |
| 爱心 | àixīn | 动机 | dòngjī |
| 背景 | bèijǐng | 风格 | fēnggé |
| 辈 | bèi | 干劲 | gànjìn |
| 表情 | biǎoqíng | 岗位 | gǎngwèi |
| 才 | cái | 个儿 | gèr |
| 才能 | cáinéng | 个性 | gèxìng |
| 财产 | cáichǎn | 工龄 | gōnglíng |
| 财富 | cáifù | 功劳 | gōngláo |
| 出息 | chūxi | 观念 | guānniàn |
| 挫折 | cuòzhé | 国籍 | guójí |

| 技能 | jìnéng | 体温 | tǐwēn |
|---|---|---|---|
| 见解 | jiànjiě | 头脑 | tóunǎo |
| 口气 | kǒuqì | 笑容 | xiàoróng |
| 脸色 | liǎnsè | 心理 | xīnlǐ |
| 目光 | mùguāng | 心事 | xīnshì |
| 脑筋 | nǎojīn | 心思 | xīnsi |
| 脑力 | nǎolì | 心意 | xīnyì |
| 品德 | pǐndé | 信念 | xìnniàn |
| 品质 | pǐnzhì | 行为 | xíngwéi |
| 气概 | qìgài | 性别 | xìngbié |
| 青春 | qīngchūn | 学位 | xuéwèi |
| 情 | qíng | 血汗 | xuèhàn |
| 趣味 | qùwèi | 压力 | yālì |
| 权力 | quánlì | 眼光 | yǎnguāng |
| 权利 | quánlì | 义务 | yìwù |
| 身材 | shēncái | 毅力 | yìlì |
| 身分(身份) | shēnfen | 运气 | yùnqi |
| 神情 | shénqíng | 志愿 | zhìyuàn |
| 事迹 | shìjì | 智慧 | zhìhuì |
| 手势 | shǒushì | 姿势 | zīshì |
| 寿命 | shòumìng | 姿态 | zītài |
| 思维 | sīwéi | 资格 | zīgé |
| 岁数 | suìshu | 作风 | zuòfēng |
| 体力 | tǐlì | | |

## 四、与人的身体相关的名词

| 甲级 | | | |
|---|---|---|---|
| 脚 | jiǎo | 口 | kǒu |

| 脸 | liǎn | 腿 | tuǐ |
|---|---|---|---|
| 身体 | shēntǐ | 心 | xīn |
| 手 | shǒu | 眼睛 | yǎnjing |
| 头 | tóu | 嘴 | zuǐ |
| **乙　级** | | | |
| 背 | bèi | 舌头 | shétou |
| 鼻子 | bízi | 身 | shēn |
| 脖子 | bózi | 神经 | shénjīng |
| 肚子 | dùzi | 生命 | shēngmìng |
| 耳朵 | ěrduo | 手指 | shǒuzhǐ |
| 肺 | fèi | 头发 | tóufa |
| 肝 | gān | 胃 | wèi |
| 胳膊 | gēbo | 血 | xiě |
| 骨头 | gǔtou | 心脏 | xīnzàng |
| 汗 | hàn | 胸 | xiōng |
| 胡子 | húzi | 血液 | xuèyè |
| 肩 | jiān | 牙 | yá |
| 脑袋 | nǎodai | 眼 | yǎn |
| 脑子 | nǎozi | 眼泪 | yǎnlèi |
| 皮肤 | pífū | 腰 | yāo |
| 嗓子 | sǎngzi | 影子 | yǐngzi |
| **丙　级** | | | |
| 肠 | cháng | 浑身 | húnshēn |
| 大脑 | dànǎo | 肌肉 | jīròu |
| 胆 | dǎn | 激素 | jīsù |
| 喉咙 | hóulóng | 灵魂 | línghún |

| 满腔 | mǎnqiāng | 伤口 | shāngkǒu |
|---|---|---|---|
| 眉毛 | méimao | 身子 | shēnzi |
| 眉头 | méitóu | 细胞 | xìbāo |
| 面孔 | miànkǒng | 鲜血 | xiānxuè |
| 命 | mìng | 血管 | xuèguǎn |
| 屁股 | pìgu | 牙齿 | yáchǐ |
| 器官 | qìguān | 指头 | zhǐtou |
| 拳头 | quántou | 皱纹 | zhòuwén |
| 人体 | réntǐ | 嘴唇 | zuǐchún |

## 第二节 与动植物相关的名词

### 一、与动物相关的名词

| 甲 级 | | | |
|---|---|---|---|
| 鸡 | jī | 羊 | yáng |
| 马 | mǎ | 鱼 | yú |
| 牛 | niú | 猪 | zhū |
| 乙 级 | | | |
| 病菌 | bìngjūn | 狼 | láng |
| 翅膀 | chìbǎng | 老虎 | lǎohǔ |
| 虫子 | chóngzi | 龙 | lóng |
| 蛋 | dàn | 猫 | māo |
| 鹅 | é | 毛 | máo |
| 狗 | gǒu | 蜜蜂 | mìfēng |
| 猴子 | hóuzi | 鸟 | niǎo |

| | | | |
|---|---|---|---|
| 皮 | pí | 尾巴 | wěiba |
| 蛇 | shé | 象 | xiàng |
| 狮子 | shīzi | 熊猫 | xióngmāo |
| 兔子 | tùzi | | |
| **丙　　级** | | | |
| 蚕 | cán | 卵 | luǎn |
| 苍蝇 | cāngying | 骆驼 | luòtuo |
| 粪 | fèn | 青蛙 | qīngwā |
| 鸽子 | gēzi | 蹄 | tí |
| 害虫 | hàichóng | 蚊子 | wénzi |
| 蝴蝶 | húdié | 虾 | xiā |
| 金鱼 | jīnyú | 鸭子 | yāzi |
| 鲸鱼 | jīngyú | 燕子 | yànzi |
| 昆虫 | kūnchóng | 野兽 | yěshòu |
| 驴 | lǘ | | |

## 二、与植物相关的名词

| **甲　　级** | | | |
|---|---|---|---|
| 草 | cǎo | 树 | shù |
| 根 | gēn | 种 | zhǒng |
| 花 | huā | | |
| **乙　　级** | | | |
| 棉花 | miánhua | 叶子 | yèzi |
| 木 | mù | 种子 | zhǒngzi |
| 水稻 | shuǐdào | 竹子 | zhúzi |
| 鲜花 | xiānhuā | 庄稼 | zhuāngjia |
| 小麦 | xiǎomài | | |

| 丙 级 | | | |
|---|---|---|---|
| 柏树 | bǎishù | 梅花 | méihuā |
| 瓣 | bàn | 苗 | miáo |
| 丛 | cóng | 农作物 | nóngzuòwù |
| 高粱 | gāoliang | 树木 | shùmù |
| 谷子 | gǔzi | 松树 | sōngshù |
| 果实 | guǒshí | 芽 | yá |
| 果树 | guǒshù | 枝 | zhī |
| 花朵 | huāduǒ | 作物 | zuòwù |
| 柳树 | liǔshù | | |

## 第三节 表示时间、处所、方位的名词

### 一、与时间相关的名词

| 甲 级 | | | |
|---|---|---|---|
| 半天 | bàntiān | 寒假 | hánjià |
| 不久 | bùjiǔ | 将来 | jiānglái |
| 春 | chūn | 节日 | jiérì |
| 春天 | chūntiān | 今年 | jīnnián |
| 从前 | cóngqián | 今天 | jīntiān |
| 点 | diǎn | 明年 | míngnián |
| 冬 | dōng | 明天 | míngtiān |
| 冬天 | dōngtiān | 目前 | mùqián |
| 刚才 | gāngcái | 年 | nián |
| 过去 | guòqù | 秋 | qiū |

| 秋天 | qiūtiān | 小时 | xiǎoshí |
|---|---|---|---|
| 去年 | qùnián | 新年 | xīnnián |
| 日 | rì | 星期 | xīngqī |
| | | 星期日 | xīngqīrì |
| 日子 | rìzi | （星期天） | （xīngqītiān） |
| 上午 | shàngwǔ | 夜 | yè |
| 生日 | shēngri | 一会儿 | yíhuìr |
| 时候 | shíhou | 以后 | yǐhòu |
| 时间 | shíjiān | 以前 | yǐqián |
| 天 | tiān | 月 | yuè |
| | | 早晨 | zǎochen |
| 同时 | tóngshí | （早上） | （zǎoshang） |
| 晚上 | wǎnshang | 中午 | zhōngwǔ |
| 下午 | xiàwǔ | 钟头 | zhōngtóu |
| 夏 | xià | 周 | zhōu |
| 夏天 | xiàtiān | 最初 | zuìchū |
| 先 | xiān | 最后 | zuìhòu |
| 现代 | xiàndài | 最近 | zuìjìn |
| 现在 | xiànzài | 昨天 | zuótiān |
| **乙　级** | | | |
| 白天 | báitiān | 当前 | dāngqián |
| 半夜 | bànyè | 当时 | dāngshí |
| 傍晚 | bàngwǎn | 短期 | duǎnqī |
| 长期 | chángqī | 工夫 | gōngfu |
| 春节 | Chūn Jié | 公元 | gōngyuán |
| 代 | dài | 古代 | gǔdài |
| 当年 | dāngnián | 好久 | hǎojiǔ |

| 后来 | hòulái | 如今 | rújīn |
|---|---|---|---|
| 后年 | hòunián | 时代 | shídài |
| 后天 | hòutiān | 时刻 | shíkè |
| 季节 | jìjié | 时期 | shíqī |
| 今后 | jīnhòu | 世纪 | shìjì |
| 近来 | jìnlái | 事先 | shìxiān |
| 空儿 | kòngr | 暑假 | shǔjià |
| 礼拜天（礼拜日） | lǐbàitiān（lǐbàirì） | 未来 | wèilái |
| 年代 | niándài | 先后 | xiānhòu |
| 平时 | píngshí | 学期 | xuéqī |
| 期 | qī | 眼前 | yǎnqián |
| 期间 | qījiān | 夜里 | yèli |
| 前年 | qiánnián | 夜晚 | yèwǎn |
| 前天 | qiántiān | 一生 | yìshēng |
| 日程 | rìchéng | 一时 | yìshí |
| 日期 | rìqī | | |
| **丙　级** | | | |
| 初期 | chūqī | 国庆节 | guóqìngjié |
| 初中 | chūzhōng | 黑夜 | hēiyè |
| 春季 | chūnjì | 黄昏 | huánghūn |
| 此刻 | cǐkè | 季 | jì |
| 当初 | dāngchū | 假 | jià |
| 当代 | dāngdài | 假期 | jiàqī |
| 定期 | dìngqī | 今日 | jīnrì |
| 冬季 | dōngjì | 近代 | jìndài |
| 高中 | gāozhōng | 老年 | lǎonián |

| 黎明 | límíng | 学年 | xuénián |
|---|---|---|---|
| 礼拜 | lǐbài | 学时 | xuéshí |
| 历年 | lìnián | 夜间 | yèjiān |
| 起初 | qǐchū | 一阵 | yízhèn |
| 清晨 | qīngchén | 元旦 | Yuándàn |
| 秋季 | qiūjì | 早期 | zǎoqī |
| 日夜 | rìyè | 早晚 | zǎowǎn |
| 上旬 | shàngxún | 这会儿 | zhèhuìr |
| 深夜 | shēnyè | 中年 | zhōngnián |
| 时机 | shíjī | 中旬 | zhōngxún |
| 时节 | shíjié | 终身 | zhōngshēn |
| 下旬 | xiàxún | 周末 | zhōumò |
| 夏季 | xiàjì | 周年 | zhōunián |

## 二、与处所相关的名词

| 甲级 | | | |
|---|---|---|---|
| 办公室 | bàngōngshì | 机场 | jīchǎng |
| 操场 | cāochǎng | 家 | jiā |
| 场 | chǎng | 教室 | jiàoshì |
| 车站 | chēzhàn | 街 | jiē |
| 城市 | chéngshì | 门口 | ménkǒu |
| 地方 | dìfang | 农村 | nóngcūn |
| 饭店 | fàndiàn | 商店 | shāngdiàn |
| 房间 | fángjiān | 食堂 | shítáng |
| 附近 | fùjìn | 世界 | shìjiè |
| 工厂 | gōngchǎng | 首都 | shǒudū |
| 公园 | gōngyuán | 宿舍 | sùshè |

| 图书馆 | túshūguǎn | 邮局 | yóujú |
| --- | --- | --- | --- |
| 外国 | wàiguó | 站 | zhàn |
| 学校 | xuéxiào | 周围 | zhōuwéi |
| 医院 | yīyuàn | 祖国 | zǔguó |
| 银行 | yínháng | | |
| 乙　　级 | | | |
| 宾馆 | bīnguǎn | 公司 | gōngsī |
| 病房 | bìngfáng | 故乡 | gùxiāng |
| 餐厅 | cāntīng | 广场 | guǎngchǎng |
| 厕所 | cèsuǒ | 花园 | huāyuán |
| 车间 | chējiān | 会场 | huìchǎng |
| 厨房 | chúfáng | 家乡 | jiāxiāng |
| 大街 | dàjiē | 郊区 | jiāoqū |
| 大陆 | dàlù | 剧场 | jùchǎng |
| 当地 | dāngdì | 空中 | kōngzhōng |
| 地带 | dìdài | 礼堂 | lǐtáng |
| 地点 | dìdiǎn | 路上 | lùshang |
| 地方 | dìfāng | 马路 | mǎlù |
| 地区 | dìqū | 码头 | mǎtou |
| 地址 | dìzhǐ | 球场 | qiúchǎng |
| 电视台 | diànshìtái | 山区 | shānqū |
| 电台 | diàntái | 商场 | shāngchǎng |
| 电梯 | diàntī | 市场 | shìchǎng |
| 电影院 | diànyǐngyuàn | 室 | shì |
| 店 | diàn | 书店 | shūdiàn |
| 动物园 | dòngwùyuán | 体育场 | tǐyùchǎng |
| 隔壁 | gébì | 体育馆 | tǐyùguǎn |

| 外地 | wàidì | 游泳池 | yóuyǒngchí |
|---|---|---|---|
| 乡下 | xiāngxia | 院子 | yuànzi |
| 医务室 | yīwùshì | 阅览室 | yuèlǎnshì |
| **丙　级** | | | |
| 报社 | bàoshè | 酒店 | jiǔdiàn |
| 边疆 | biānjiāng | 剧院 | jùyuàn |
| 边界 | biānjiè | 客厅 | kètīng |
| 别处 | biéchù | 课堂 | kètáng |
| 博物馆 | bówùguǎn | 楼道 | lóudào |
| 仓库 | cāngkù | 路口 | lùkǒu |
| 舱 | cāng | 牧场 | mùchǎng |
| 茶馆 | cháguǎn | 农场 | nóngchǎng |
| 场地 | chǎngdì | 农贸市场 | nóngmào shìchǎng |
| 车厢 | chēxiāng | 区域 | qūyù |
| 窗口 | chuāngkǒu | 人间 | rénjiān |
| 村庄 | cūnzhuāng | 上游 | shàngyóu |
| 村子 | cūnzi | 水库 | shuǐkù |
| 对门 | duìmén | 四处 | sìchù |
| 饭馆 | fànguǎn | 四周 | sìzhōu |
| 港口 | gǎngkǒu | 所在 | suǒzài |
| 工地 | gōngdì | 摊 | tān |
| 柜台 | guìtái | 天上 | tiānshàng |
| 胡同 | hútòng | 天下 | tiānxià |
| 基地 | jīdì | 托儿所 | tuō'érsuǒ |
| 监狱 | jiānyù | 舞台 | wǔtái |
| 教堂 | jiàotáng | 下游 | xiàyóu |

| 县城 | xiànchéng | 幼儿园 | yòu'éryuán |
|---|---|---|---|
| 乡村 | xiāngcūn | 浴室 | yùshì |
| 巷 | xiàng | 战场 | zhànchǎng |
| 沿海 | yánhǎi | 阵地 | zhèndì |
| 一带 | yídài | 殖民地 | zhímíndì |
| 油田 | yóutián | 走廊 | zǒuláng |

## 三、表示方位的名词

| 甲 级 | | | |
|---|---|---|---|
| 北 | běi | 前 | qián |
| 北边 | běibiān | 前边 | qiánbiān |
| 边 | biān | 上 | shàng |
| 东 | dōng | 上边 | shàngbian |
| 东边 | dōngbiān | 外 | wài |
| 方向 | fāngxiàng | 外边 | wàibiān |
| 后边 | hòubiān | 西 | xī |
| 里 | lǐ | 西边 | xībiān |
| 里边 | lǐbiān | 下 | xià |
| 南 | nán | 下边 | xiàbiān |
| 南边 | nánbiān | 右 | yòu |
| 内 | nèi | 中间 | zhōngjiān |
| 旁边 | pángbiān | 左 | zuǒ |
| 乙 级 | | | |
| 北部 | běibù | 背后 | bèihòu |
| 北方 | běifāng | 表面 | biǎomiàn |
| 北面 | běimiàn | 出口 | chūkǒu |

| 底下 | dǐxia | 前面 | qiánmiàn |
|---|---|---|---|
| 地下 | dìxià | 上面 | shàngmiàn |
| 顶 | dǐng | 身边 | shēnbiān |
| 东北 | dōngběi | 外面 | wàimian |
| 东部 | dōngbù | 西北 | xīběi |
| 东方 | dōngfāng | 西部 | xībù |
| 东面 | dōngmiàn | 西方 | xīfāng |
| 东南 | dōngnán | 西面 | xīmiàn |
| 对面 | duìmiàn | 西南 | xīnán |
| 跟前 | gēnqián | 下面 | xiàmiàn |
| 后面 | hòumiàn | 眼前 | yǎnqián |
| 里面 | lǐmiàn | 一边 | yìbiān |
| 面前 | miànqián | 以内 | yǐnèi |
| 南部 | nánbù | 以上 | yǐshàng |
| 南方 | nánfāng | 以外 | yǐwài |
| 南面 | nánmiàn | 以下 | yǐxià |
| 内部 | nèibù | 右边 | yòubiān |
| 旁 | páng | 中心 | zhōngxīn |
| 其中 | qízhōng | 左边 | zuǒbiān |
| **丙　级** | | | |
| 边缘 | biānyuán | 里头 | lǐtou |
| 当中 | dāngzhōng | 两旁 | liǎngpáng |
| 底 | dǐ | 前方 | qiánfāng |
| 端 | duān | 前后 | qiánhòu |
| 后方 | hòufāng | 前头 | qiántou |
| 后头 | hòutou | 上头 | shàngtou |
| 角落 | jiǎoluò | 上下 | shàngxià |

| 外头 | wàitou | 正面 | zhèngmiàn |
|---|---|---|---|
| 沿儿 | yánr | 中部 | zhōngbù |
| 一旁 | yìpáng | | |

## 第四节 表示团体、机构的名词

（注：这类词也可表示人物、处所）

| 甲级 | | | |
|---|---|---|---|
| 班 | bān | 人们 | rénmen |
| 大学 | dàxué | 人民 | rénmín |
| 国 | guó | 省 | shěng |
| 国家 | guójiā | 市 | shì |
| 民族 | mínzú | 系 | xì |
| 年级 | niánjí | 学院 | xuéyuàn |
| 全部 | quánbù | 政府 | zhèngfǔ |
| 全体 | quántǐ | 中学 | zhōngxué |
| 乙级 | | | |
| 部 | bù | 队伍 | duìwu |
| 部队 | bùduì | 工会 | gōnghuì |
| 部门 | bùmén | 共产党 | gòngchǎndǎng |
| 处 | chù | 国际 | guójì |
| 村 | cūn | 国民党 | guómíndǎng |
| 大使馆 | dàshǐguǎn | 海关 | hǎiguān |
| 单位 | dānwèi | 户 | hù |
| 党 | dǎng | 机关 | jīguān |
| 队 | duì | 集体 | jítǐ |

| 阶级 | jiējí | 人类 | rénlèi |
|---|---|---|---|
| 街道 | jiēdào | 所 | suǒ |
| 俱乐部 | jùlèbù | 县 | xiàn |
| 军 | jūn | 乡 | xiāng |
| 军队 | jūnduì | 小学 | xiǎoxué |
| 科 | kē | 研究所 | yánjiūsuǒ |
| 科学院 | kēxuéyuàn | 院 | yuàn |
| 企业 | qǐyè | 中央 | zhōngyāng |
| 区 | qū | | |
| **丙** | | **级** | |
| 帮 | bāng | 联盟 | liánméng |
| 大队 | dàduì | 陆军 | lùjūn |
| 大众 | dàzhòng | 门诊 | ménzhěn |
| 党派 | dǎngpài | 民间 | mínjiān |
| 法院 | fǎyuàn | 内科 | nèikē |
| 公安 | gōng'ān | 圈子 | quānzi |
| 共和国 | gònghéguó | 人群 | rénqún |
| 国务院 | guówùyuàn | 势力 | shìlì |
| 海军 | hǎijūn | 同盟 | tóngméng |
| 机构 | jīgòu | 团体 | tuántǐ |
| 基层 | jīcéng | 外科 | wàikē |
| 集团 | jítuán | 小组 | xiǎozǔ |
| 教研室 | jiàoyánshì | 协会 | xiéhuì |
| 阶层 | jiēcéng | 学会 | xuéhuì |
| 解放军 | jiěfàngjūn | 一行 | yìxíng |
| 局 | jú | 议会 | yìhuì |
| 空军 | kōngjūn | 战线 | zhànxiàn |

| 镇 | zhèn | 自治区 | zìzhìqū |
|---|---|---|---|
| 政党 | zhèngdǎng | 宗派 | zōngpài |
| 政权 | zhèngquán | | |

## 第五节 表示自然物的名词

### 一、地理名词

| 甲 级 | | | |
|---|---|---|---|
| 城 | chéng | 湖 | hú |
| 地 | dì | 江 | jiāng |
| 海 | hǎi | 山 | shān |
| 河 | hé | | |
| 乙 级 | | | |
| 岸 | àn | 坡 | pō |
| 草地 | cǎodì | 森林 | sēnlín |
| 草原 | cǎoyuán | 沙漠 | shāmò |
| 岛 | dǎo | 山脉 | shānmài |
| 地面 | dìmiàn | 树林 | shùlín |
| 港 | gǎng | 田 | tián |
| 高原 | gāoyuán | 田野 | tiányě |
| 海洋 | hǎiyáng | 土地 | tǔdì |
| 平原 | píngyuán | | |
| 丙 级 | | | |
| 坝 | bà | 赤道 | chìdào |
| 半岛 | bàndǎo | 大地 | dàdì |
| 池 | chí | 岛屿 | dǎoyǔ |

| 堤 | dī | 盆地 | péndì |
|---|---|---|---|
| 地势 | dìshì | 丘陵 | qiūlíng |
| 地形 | dìxíng | 群岛 | qúndǎo |
| 耕地 | gēngdì | 热带 | rèdài |
| 沟 | gōu | 山地 | shāndì |
| 海拔 | hǎibá | 山峰 | shānfēng |
| 海面 | hǎimiàn | 山谷 | shāngǔ |
| 海峡 | hǎixiá | 滩 | tān |
| 河流 | héliú | 田地 | tiándì |
| 领土 | lǐngtǔ | 土壤 | tǔrǎng |
| 流域 | liúyù | 温带 | wēndài |
| 陆地 | lùdì | 峡谷 | xiágǔ |
| 农田 | nóngtián | 悬崖 | xuányá |
| 畔 | pàn | | |

## 二、表示天体、气象、自然现象的名词

| 甲　级 | | | |
|---|---|---|---|
| 电 | diàn | 天气 | tiānqì |
| 风 | fēng | 雪 | xuě |
| 空气 | kōngqì | 雨 | yǔ |
| 声 | shēng | 月亮 | yuèliang |
| 声音 | shēngyīn | 月球 | yuèqiú |
| 太阳 | tàiyáng | 云 | yún |
| 乙　级 | | | |
| 冰 | bīng | 风力 | fēnglì |
| 地球 | dìqiú | 光线 | guāngxiàn |
| 风景 | fēngjǐng | 火 | huǒ |

| | | | |
|---|---|---|---|
| 浪 | làng | 雾 | wù |
| 雷 | léi | 星星 | xīngxing |
| 气候 | qìhòu | 阳光 | yángguāng |
| 气温 | qìwēn | 灾 | zāi |
| 气象 | qìxiàng | 灾害 | zāihài |
| 卫星 | wèixīng | | |
| 丙 级 | | | |
| 暴雨 | bàoyǔ | 狂风 | kuángfēng |
| 波浪 | bōlàng | 流水 | liúshuǐ |
| 潮 | cháo | 气压 | qìyā |
| 大自然 | dàzìrán | 晴天 | qíngtiān |
| 地震 | dìzhèn | 闪电 | shǎndiàn |
| 电流 | diànliú | 霜 | shuāng |
| 光 | guāng | 天空 | tiānkōng |
| 轨道 | guǐdào | 行星 | xíngxīng |
| 洪水 | hóngshuǐ | 雪花 | xuěhuā |
| 火焰 | huǒyàn | 阴天 | yīntiān |
| 景色 | jǐngsè | 音 | yīn |
| 景物 | jǐngwù | 宇宙 | yǔzhòu |
| 景象 | jǐngxiàng | 月光 | yuèguāng |

## 三、表示物质、材料的名词

| 乙 级 | | | |
|---|---|---|---|
| 玻璃 | bōlí | 矿 | kuàng |
| 钢 | gāng | 煤 | méi |
| 金 | jīn | 煤气 | méiqì |
| 金属 | jīnshǔ | 木头 | mùtou |

| 能源 | néngyuán | 塑料 | sùliào |
|---|---|---|---|
| 泥 | ní | 铁 | tiě |
| 汽油 | qìyóu | 铜 | tóng |
| 沙子 | shāzi | 土 | tǔ |
| 石头 | shítou | 物质 | wùzhì |
| 石油 | shíyóu | 纤维 | xiānwéi |
| 水泥 | shuǐní | 银 | yín |
| 丝 | sī | 原料 | yuánliào |
| **丙　级** | | | |
| 尘土 | chéntǔ | 泥土 | nítǔ |
| 瓷 | cí | 漆 | qī |
| 蛋白质 | dànbáizhì | 气 | qì |
| 肥料 | féiliào | 气体 | qìtǐ |
| 分子 | fēnzǐ | 铅 | qiān |
| 固体 | gùtǐ | 燃料 | ránliào |
| 合金 | héjīn | 染料 | rǎnliào |
| 核 | hé | 溶液 | róngyè |
| 化石 | huàshí | 纱 | shā |
| 灰 | huī | 天然气 | tiānránqì |
| 灰尘 | huīchén | 瓦 | wǎ |
| 混凝土 | hùnníngtǔ | 维生素 | wéishēngsù |
| 碱 | jiǎn | 锡 | xī |
| 矿石 | kuàngshí | 岩石 | yánshí |
| 料 | liào | 养料 | yǎngliào |
| 铝 | lǚ | 氧气 | yǎngqì |
| 木材 | mùcái | 冶金 | yějīn |
| 能 | néng | 液体 | yètǐ |

| 元素 | yuánsù | 蒸汽 | zhēngqì |
|---|---|---|---|
| 原子 | yuánzǐ | 砖 | zhuān |
| 杂质 | zázhì | 自来水 | zìláishuǐ |

# 第六节 表示实物的名词

## 一、食物类名词

**1. 水果蔬菜类**(注:这类也属于植物类)

| 甲级 | | | |
|---|---|---|---|
| 菜 | cài | 水果 | shuǐguǒ |
| 橘子(桔子) | júzi | 香蕉 | xiāngjiāo |
| 苹果 | píngguǒ | | |
| **乙级** | | | |
| 白菜 | báicài | 土豆 | tǔdòu |
| 黄瓜 | huánggua | 西瓜 | xīguā |
| 梨 | lí | 西红柿 | xīhóngshì |
| 萝卜 | luóbo | 玉米 | yùmǐ |
| 蔬菜 | shūcài | | |
| **丙级** | | | |
| 菠菜 | bōcài | 葡萄 | pútáo |
| 草莓 | cǎoméi | 青菜 | qīngcài |
| 瓜 | guā | 桃 | táo |
| 辣椒 | làjiāo | | |

**2. 其他食品类**

| 甲　　级 | | | |
|---|---|---|---|
| 点心 | diǎnxin | 面包 | miànbāo |
| 饭 | fàn | 面条儿 | miàntiáor |
| 鸡蛋 | jīdàn | 肉 | ròu |
| 饺子 | jiǎozi | 汤 | tāng |
| 米饭 | mǐfàn | 糖 | táng |
| **乙　　级** | | | |
| 包子 | bāozi | 酱油 | jiàngyóu |
| 饼干 | bǐnggān | 粮食 | liángshi |
| 醋 | cù | 馒头 | mántou |
| 大米 | dàmǐ | 米 | mǐ |
| 蛋糕 | dàngāo | 面 | miàn |
| 豆腐 | dòufu | 食品 | shípǐn |
| 副食 | fùshí | 食物 | shíwù |
| 罐头 | guàntou | 香肠 | xiāngcháng |
| 黄油 | huángyóu | 盐 | yán |
| **丙　　级** | | | |
| 冰棍儿 | bīnggùnr | 花生 | huāshēng |
| 饼 | bǐng | 酱 | jiàng |
| 茶叶 | cháyè | 蜜 | mì |
| 豆子 | dòuzi | 面粉 | miànfěn |
| 谷子 | gǔzi | 元宵 | yuánxiāo |
| 瓜子 | guāzǐ | 粥 | zhōu |

**3. 饮用品**

| 甲　　级 | | | |
|---|---|---|---|
| 茶 | chá | 咖啡 | kāfēi |
| 酒 | jiǔ | 牛奶 | niúnǎi |

| 啤酒 | píjiǔ | 水 | shuǐ |
|---|---|---|---|
| 汽水 | qìshuǐ | | |
| 乙 级 | | | |
| 红茶 | hóngchá | | |
| 丙 级 | | | |
| 豆浆 | dòujiāng | 茅台酒 | máotáijiǔ |
| 开水 | kāishuǐ | 奶 | nǎi |
| 凉水 | liángshuǐ | 饮料 | yǐnliào |

## 二、用品、器具类名词

| 甲 级 | | | |
|---|---|---|---|
| 杯 | bēi | 电灯 | diàndēng |
| 杯子 | bēizi | 电话 | diànhuà |
| 本 | běn | 电视 | diànshì |
| 本子 | běnzi | 东西 | dōngxi |
| 笔 | bǐ | 飞机 | fēijī |
| 表 | biǎo | 钢笔 | gāngbǐ |
| 布 | bù | 公共汽车 | gōnggòng qìchē |
| 车 | chē | 黑板 | hēibǎn |
| 出租汽车 | chūzū qìchē | 火车 | huǒchē |
| 船 | chuán | 机器 | jīqì |
| 床 | chuáng | 卡车 | kǎchē |
| 磁带 | cídài | 篮球 | lánqiú |
| 刀 | dāo | 礼物 | lǐwù |
| 灯 | dēng | 排球 | páiqiú |
| 电车 | diànchē | 瓶 | píng |

| 汽车 | qìchē | 椅子 | yǐzi |
|---|---|---|---|
| 铅笔 | qiānbǐ | 邮票 | yóupiào |
| 球 | qiú | 纸 | zhǐ |
| 手表 | shǒubiǎo | 钟 | zhōng |
| 碗 | wǎn | 桌子 | zhuōzi |
| 信封 | xìnfēng | 自行车 | zìxíngchē |
| 药 | yào | 足球 | zúqiú |
| **乙　级** | | | |
| 板 | bǎn | 鼓 | gǔ |
| 半导体 | bàndǎotǐ | 锅 | guō |
| 包 | bāo | 红旗 | hóngqí |
| 被子 | bèizi | 壶 | hú |
| 叉子 | chāzi | 环 | huán |
| 产品 | chǎnpǐn | 火柴 | huǒchái |
| 尺 | chǐ | 货 | huò |
| 袋 | dài | 机床 | jīchuáng |
| 刀子 | dāozi | 机械 | jīxiè |
| 电冰箱<br>（冰箱） | diànbīngxiāng<br>(bīngxiāng) | 家具 | jiājù |
| 电风扇<br>（电扇） | diànfēngshàn<br>(diànshàn) | 箭 | jiàn |
| 电脑 | diànnǎo | 镜子 | jìngzi |
| 粉笔 | fěnbǐ | 口袋 | kǒudài |
| 杆 | gān | 筷子 | kuàizi |
| 工具 | gōngjù | 垃圾 | lājī |
| 工艺品 | gōngyìpǐn | 铃 | líng |
| 公用电话 | gōngyòng diànhuà | 录音机 | lùyīnjī |

| 轮船 | lúnchuán | 收音机 | shōuyīnjī |
|---|---|---|---|
| 毛巾 | máojīn | 书包 | shūbāo |
| 墨水儿 | mòshuǐr | 书架 | shūjià |
| 暖气 | nuǎnqì | 毯子 | tǎnzi |
| 牌 | pái | 桶 | tǒng |
| 盘 | pán | 网球 | wǎngqiú |
| 盘子 | pánzi | 洗衣机 | xǐyījī |
| 炮 | pào | 线 | xiàn |
| 盆 | pén | 香皂 | xiāngzào |
| 乒乓球 | pīngpāngqiú | 箱子 | xiāngzi |
| 瓶子 | píngzi | 行李 | xíngli |
| 旗子 | qízi | 牙刷 | yáshuā |
| 枪 | qiāng | 眼镜 | yǎnjìng |
| 热水瓶（暖水瓶） | rèshuǐpíng (nuǎnshuǐpíng) | 仪器 | yíqì |
| 日用品 | rìyòngpǐn | 油 | yóu |
| 伞 | sǎn | 羽毛球 | yǔmáoqiú |
| 沙发 | shāfā | 圆珠笔 | yuánzhūbǐ |
| 商品 | shāngpǐn | 照片（相片） | zhàopiàn (xiàngpiàn) |
| 勺子 | sháozi | 针 | zhēn |
| 设备 | shèbèi | 中药 | zhōngyào |
| 绳子 | shéngzi | 座位 | zuòwèi |
| | | **丙 级** | |
| 百货 | bǎihuò | 包袱 | bāofu |
| 棒 | bàng | 背包 | bēibāo |

| 柄 | bǐng | 棍子 | gùnzi |
|---|---|---|---|
| 病床 | bìngchuáng | 锅炉 | guōlú |
| 餐车 | cānchē | 国旗 | guóqí |
| 车辆 | chēliàng | 火箭 | huǒjiàn |
| 尺子 | chǐzi | 火药 | huǒyào |
| 窗帘 | chuānglián | 货物 | huòwù |
| 床单 | chuángdān | 机 | jī |
| 带儿 | dàir | 计 | jì |
| 导弹 | dǎodàn | 计算机 | jìsuànjī |
| 灯笼 | dēnglong | 夹子 | jiāzi |
| 凳子 | dèngzi | 架子 | jiàzi |
| 底片 | dǐpiàn | 胶卷 | jiāojuǎn |
| 地板 | dìbǎn | 军舰 | jūnjiàn |
| 地毯 | dìtǎn | 壳 | ké |
| 电池 | diànchí | 筐 | kuāng |
| 电铃 | diànlíng | 喇叭 | lǎba |
| 电炉 | diànlú | 蜡烛 | làzhú |
| 电器 | diànqì | 篮子 | lánzi |
| 电线 | diànxiàn | 列车 | lièchē |
| 钉子 | dīngzi | 零件 | língjiàn |
| 肥皂 | féizào | 笼子 | lóngzi |
| 盖子 | gàizi | 炉子 | lúzi |
| 缸 | gāng | 轮子 | lúnzi |
| 钩子 | gōuzi | 锣 | luó |
| 管子 | guǎnzi | 毛笔 | máobǐ |
| 罐 | guàn | 毛线 | máoxiàn |
| 柜子 | guìzi | 明信片 | míngxìnpiàn |

| 模型 | móxíng | 网 | wǎng |
|---|---|---|---|
| 摩托车 | mótuōchē | 物品 | wùpǐn |
| 墨 | mò | 物体 | wùtǐ |
| 幕 | mù | 物资 | wùzī |
| 农具 | nóngjù | 香烟 | xiāngyān |
| 农药 | nóngyào | 牙膏 | yágāo |
| 拍子 | pāizi | 烟 | yān |
| 炮弹 | pàodàn | 药方 | yàofāng |
| 棋 | qí | 药品 | yàopǐn |
| 旗帜 | qízhì | 药水 | yàoshuǐ |
| 汽船 | qìchuán | 药物 | yàowù |
| 器材 | qìcái | 钥匙 | yàoshi |
| 琴 | qín | 仪表 | yíbiǎo |
| 容器 | róngqì | 用品 | yòngpǐn |
| 扇子 | shànzi | 邮包 | yóubāo |
| 手枪 | shǒuqiāng | 原子弹 | yuánzǐdàn |
| 梳子 | shūzi | 乐器 | yuèqì |
| 刷子 | shuāzi | 帐 | zhàng |
| 锁 | suǒ | 照相机 | zhàoxiàngjī |
| 坦克 | tǎnkè | 枕头 | zhěntou |
| 提包 | tíbāo | 指南针 | zhǐnánzhēn |
| 筒 | tǒng | 装置 | zhuāngzhì |
| 拖拉机 | tuōlājī | 子弹 | zǐdàn |
| 玩意儿 | wányìr | 座儿 | zuòr |

## 三、衣物类名词

| 甲　级 | | | |
|---|---|---|---|
| 帽子 | màozi | 袜子 | wàzi |

| 鞋 | xié | 衣服 | yīfu |
|---|---|---|---|
| 乙　级 | | | |
| 衬衫 | chènshān | 裙子 | qúnzi |
| 衬衣 | chènyī | 上衣 | shàngyī |
| 大衣 | dàyī | 手绢 | shǒujuàn |
| 裤子 | kùzi | 手套 | shǒutào |
| 毛衣 | máoyī | 雨衣 | yǔyī |
| 棉衣 | miányī | | |
| 丙　级 | | | |
| 背心 | bèixīn | 围巾 | wéijīn |
| 旗袍 | qípáo | 西服 | xīfú |
| 外衣 | wàiyī | | |

## 四、创作物、文本、证书、票据类名词

| 甲　级 | | | |
|---|---|---|---|
| 报 | bào | 票 | piào |
| 词典 | cídiǎn | 书 | shū |
| 画儿 | huàr | 文章 | wénzhāng |
| 录音 | lùyīn | 信 | xìn |
| 乙　级 | | | |
| 报纸 | bàozhǐ | 假条 | jiàtiáo |
| 便条 | biàntiáo | 来信 | láixìn |
| 地图 | dìtú | 录像 | lùxiàng |
| 电报 | diànbào | 日记 | rìjì |
| 合同 | hétong | 图 | tú |
| 护照 | hùzhào | 文件 | wénjiàn |
| 画报 | huàbào | 资料 | zīliào |

| 作品 | zuòpǐn | | |
|---|---|---|---|
| 丙 级 | | | |
| 标语 | biāoyǔ | 书籍 | shūjí |
| 布告 | bùgào | 图画 | túhuà |
| 档案 | dàng'àn | 影片 | yǐngpiàn |
| 读物 | dúwù | 杂志 | zázhì |
| 稿 | gǎo | 证件 | zhèngjiàn |
| 刊物 | kānwù | 证书 | zhèngshū |
| 书本 | shūběn | 字典 | zìdiǎn |

## 五、与钱财相关的名词

| 甲 级 | | | |
|---|---|---|---|
| 钱 | qián | | |
| 乙 级 | | | |
| 费 | fèi | 款 | kuǎn |
| 费用 | fèiyòng | 零钱 | língqián |
| 工资 | gōngzī | 人民币 | rénmínbì |
| 价格 | jiàgé | 物价 | wùjià |
| 奖学金 | jiǎngxuéjīn | 学费 | xuéfèi |
| 丙 级 | | | |
| 宝 | bǎo | 货币 | huòbì |
| 宝石 | bǎoshí | 价 | jià |
| 报酬 | bàochou | 价钱 | jiàqian |
| 钞票 | chāopiào | 奖金 | jiǎngjīn |
| 成本 | chéngběn | 经费 | jīngfèi |
| 港币 | gǎngbì | 利 | lì |
| 工钱 | gōngqian | 利润 | lìrùn |

| 税 | shuì | 珍珠 | zhēnzhū |
|---|---|---|---|
| 遗产 | yíchǎn | 资本 | zīběn |
| 英镑 | yīngbàng | 资金 | zījīn |
| 债 | zhài | | |

## 六、与建筑、路桥等相关的名词

| 甲级 | | | |
|---|---|---|---|
| 窗 | chuāng | 门 | mén |
| 窗户 | chuānghu | 墙 | qiáng |
| 馆 | guǎn | 桥 | qiáo |
| 楼 | lóu | 屋子 | wūzi |
| 路 | lù | | |
| 乙级 | | | |
| 碑 | bēi | 楼梯 | lóutī |
| 道 | dào | 庙 | miào |
| 道路 | dàolù | 桥梁 | qiáoliáng |
| 房子 | fángzi | 渠 | qú |
| 工程 | gōngchéng | 塔 | tǎ |
| 公路 | gōnglù | 台 | tái |
| 古迹 | gǔjì | 铁路 | tiělù |
| 井 | jǐng | 屋 | wū |
| 丙级 | | | |
| 壁 | bì | 坟 | fén |
| 窗台 | chuāngtái | 宫 | gōng |
| 大道 | dàdào | 宫殿 | gōngdiàn |
| 房屋 | fángwū | 管道 | guǎndào |
| 废墟 | fèixū | 楼房 | lóufáng |

| 墓 | mù | 烟囱 | yāncōng |
|---|---|---|---|
| 棚 | péng | 窑 | yáo |
| 墙壁 | qiángbì | 园林 | yuánlín |
| 厅 | tīng | 住宅 | zhùzhái |
| 亭子 | tíngzi | 柱子 | zhùzi |

## 第七节　表示抽象事物的名词

### 一、与领域相关的名词

| 甲　级 | | | |
|---|---|---|---|
| 电影 | diànyǐng | 体育 | tǐyù |
| 动物 | dòngwù | 外语<br>（外文） | wàiyǔ<br>（wàiwén） |
| 歌 | gē | 文化 | wénhuà |
| 工业 | gōngyè | 文学 | wénxué |
| 故事 | gùshi | 文艺 | wényì |
| 汉语 | Hànyǔ | 物理 | wùlǐ |
| 化学 | huàxué | 新闻 | xīnwén |
| 家庭 | jiātíng | 艺术 | yìshù |
| 节目 | jiémù | 音乐 | yīnyuè |
| 经济 | jīngjì | 语言 | yǔyán |
| 历史 | lìshǐ | 政治 | zhèngzhì |
| 农业 | nóngyè | 知识 | zhīshi |
| 社会 | shèhuì | 中文 | Zhōngwén |
| 数学 | shùxué | | |

| 乙 | 级 | | |
|---|---|---|---|
| 传统 | chuántǒng | 生物 | shēngwù |
| 道德 | dàodé | 诗 | shī |
| 法律 | fǎlǜ | 手工 | shǒugōng |
| 风俗 | fēngsú | 通讯 | tōngxùn |
| 广告 | guǎnggào | 外交 | wàijiāo |
| 航空 | hángkōng | 文物 | wénwù |
| 环境 | huánjìng | 武器 | wǔqì |
| 婚姻 | hūnyīn | 武术 | wǔshù |
| 交通 | jiāotōng | 戏 | xì |
| 京剧(京戏) | jīngjù(jīngxì) | 小说 | xiǎoshuō |
| 军事 | jūnshì | 学术 | xuéshù |
| 科研 | kēyán | 医学 | yīxué |
| 贸易 | màoyì | 杂技 | zájì |
| 美术 | měishù | 战争 | zhànzhēng |
| 名胜 | míngshèng | 哲学 | zhéxué |
| 人口 | rénkǒu | 植物 | zhíwù |
| 商业 | shāngyè | | |
| **丙** | **级** | | |
| 奥秘 | àomì | 法制 | fǎzhì |
| 报刊 | bàokān | 歌剧 | gējù |
| 财政 | cáizhèng | 歌曲 | gēqǔ |
| 常识 | chángshí | 国防 | guófáng |
| 成语 | chéngyǔ | 化工 | huàgōng |
| 地理 | dìlǐ | 话剧 | huàjù |
| 地质 | dìzhì | 幻灯 | huàndēng |
| 电子 | diànzǐ | 剧 | jù |

| 军备 | jūnbèi | 无线电 | wúxiàndiàn |
|---|---|---|---|
| 科技 | kējì | 舞蹈 | wǔdǎo |
| 科普 | kēpǔ | 西医 | xīyī |
| 谜语 | míyǔ | 戏剧 | xìjù |
| 普通话 | pǔtōnghuà | 相声 | xiàngsheng |
| 情报 | qíngbào | 信息 | xìnxī |
| 日报 | rìbào | 行政 | xíngzhèng |
| 散文 | sǎnwén | 银幕 | yínmù |
| 神话 | shénhuà | 游戏 | yóuxì |
| 生理 | shēnglǐ | 语文 | yǔwén |
| 水利 | shuǐlì | 寓言 | yùyán |
| 俗话 | súhuà | 杂文 | záwén |
| 体操 | tǐcāo | 中医 | zhōngyī |
| 天文 | tiānwén | 宗教 | zōngjiào |
| 晚报 | wǎnbào | | |

## 二、与事件、活动相关的名词

| 甲级 | | | |
|---|---|---|---|
| 活儿 | huór | 午饭 | wǔfàn |
| 晚饭 | wǎnfàn | 宴会 | yànhuì |
| 晚会 | wǎnhuì | 早饭 | zǎofàn |
| 乙级 | | | |
| 大会 | dàhuì | 事件 | shìjiàn |
| 会议 | huìyì | 手术 | shǒushù |
| 买卖 | mǎimai | 约会 | yuēhuì |
| 梦 | mèng | 运动会 | yùndònghuì |
| 生意 | shēngyi | 展览会 | zhǎnlǎnhuì |

| 招待会 | zhāodàihuì | | |
|---|---|---|---|
| 丙 | 级 | | |
| 茶话会 | cháhuàhuì | 谈话 | tánhuà |
| 典礼 | diǎnlǐ | 玩笑 | wánxiào |
| 交易 | jiāoyì | 舞会 | wǔhuì |
| 实况 | shíkuàng | 仪式 | yíshì |
| 事故 | shìgù | 灾难 | zāinàn |
| 睡眠 | shuìmián | | |

## 三、与学习相关的名词

| 甲 | 级 | | |
|---|---|---|---|
| 成绩 | chéngjì | 口语 | kǒuyǔ |
| 词 | cí | 内容 | nèiróng |
| 分 | fēn | 生词 | shēngcí |
| 汉字 | Hànzì | 声调 | shēngdiào |
| 话 | huà | 问题 | wèntí |
| 句子 | jùzi | 语法 | yǔfǎ |
| 课 | kè | 字 | zì |
| 课本 | kèběn | 作业 | zuòyè |
| 课文 | kèwén | | |
| 乙 | 级 | | |
| 笔记 | bǐjì | 讲座 | jiǎngzuò |
| 标点 | biāodiǎn | 教材 | jiàocái |
| 答案 | dá'àn | 教学 | jiàoxué |
| 答卷 | dájuàn | 课程 | kèchéng |
| 单词 | dāncí | 例 | lì |
| 概念 | gàiniàn | 例子 | lìzi |

| 论文 | lùnwén | 学 | xué |
| --- | --- | --- | --- |
| 试卷 | shìjuàn | 语调 | yǔdiào |
| 题 | tí | 语音 | yǔyīn |
| 题目 | tímù | 作文 | zuòwén |
| 文字 | wénzì | | |
| 丙 级 | | | |
| 笔试 | bǐshì | 讲义 | jiǎngyì |
| 别字 | biézì | 口试 | kǒushì |
| 词汇 | cíhuì | 师范 | shīfàn |
| 错字 | cuòzì | 学科 | xuékē |
| 大意 | dàyì | 学说 | xuéshuō |
| 分数 | fēnshù | 学制 | xuézhì |
| 公式 | gōngshì | 字母 | zìmǔ |
| 功课 | gōngkè | | |

## 四、其他表示抽象事物的名词

| 甲 级 | | | |
| --- | --- | --- | --- |
| 道理 | dàolǐ | 事 | shì |
| 方面 | fāngmiàn | 事情 | shìqing |
| 情况 | qíngkuàng | 消息 | xiāoxi |
| 乙 级 | | | |
| 鬼 | guǐ | 旅途 | lǚtú |
| 和平 | hépíng | 路线 | lùxiàn |
| 伙食 | huǒshí | 事实 | shìshí |
| 纪律 | jìlǜ | 事物 | shìwù |
| 空间 | kōngjiān | 手续 | shǒuxù |
| 口号 | kǒuhào | 数字 | shùzì |

| 条约 | tiáoyuē | 项目 | xiàngmù |
|---|---|---|---|
| 西餐 | xīcān | 营养 | yíngyǎng |
| 细菌 | xìjūn | 中餐 | zhōngcān |
| 现实 | xiànshí | 资源 | zīyuán |
| 丙级 | | | |
| 癌 | ái | 来回 | láihuí |
| 比方 | bǐfang | 牢骚 | láosāo |
| 不是 | búshì | 礼 | lǐ |
| 仇 | chóu | 理 | lǐ |
| 灯火 | dēnghuǒ | 难题 | nántí |
| 电力 | diànlì | 歉意 | qiànyì |
| 电压 | diànyā | 人力 | rénlì |
| 法令 | fǎlìng | 人心 | rénxīn |
| 废话 | fèihuà | 实话 | shíhuà |
| 高峰 | gāofēng | 事务 | shìwù |
| 高压 | gāoyā | 水力 | shuǐlì |
| 隔阂 | géhé | 说法 | shuōfǎ |
| 行列 | hángliè | 条例 | tiáolì |
| 行业 | hángyè | 闲话 | xiánhuà |
| 痕迹 | hénjì | 线路 | xiànlù |
| 火力 | huǒlì | 宪法 | xiànfǎ |
| 疾病 | jíbìng | 信号 | xìnhào |
| 脚步 | jiǎobù | 宣言 | xuānyán |
| 觉 | jiào | 谣言 | yáoyán |
| 境 | jìng | 猿人 | yuánrén |
| 决议 | juéyì | 掌声 | zhǎngshēng |
| 快餐 | kuàicān | 制 | zhì |

| 主权 | zhǔquán | 罪 | zuì |
|---|---|---|---|
| 子 | zǐ | 罪行 | zuìxíng |

## 五、反映事物属性的名词

（注：包括外形、颜色、度量、组成、序列、范畴等）

| 甲级 | | | |
|---|---|---|---|
| 部分 | bùfen | 片 | piàn |
| 块 | kuài | 颜色 | yánsè |
| 乙级 | | | |
| 比例 | bǐlì | 级 | jí |
| 步 | bù | 价值 | jiàzhí |
| 材料 | cáiliào | 角 | jiǎo |
| 彩色 | cǎisè | 结构 | jiégòu |
| 产量 | chǎnliàng | 距离 | jùlí |
| 长途 | chángtú | 孔 | kǒng |
| 成分(成份) | chéngfèn | 类 | lèi |
| 程度 | chéngdù | 力 | lì |
| 大多数 | dàduōshù | 立方 | lìfāng |
| 大小 | dàxiǎo | 面积 | miànjī |
| 等 | děng | 排 | pái |
| 洞 | dòng | 品种 | pǐnzhǒng |
| 度 | dù | 平方 | píngfāng |
| 多数 | duōshù | 强度 | qiángdù |
| 范围 | fànwéi | 圈 | quān |
| 构造 | gòuzào | 色 | sè |
| 号码 | hàomǎ | 少数 | shǎoshù |

| 数 | shù | 效率 | xiàolǜ |
|---|---|---|---|
| 数量 | shùliàng | 形状 | xíngzhuàng |
| 速度 | sùdù | 性 | xìng |
| 体积 | tǐjī | 质量 | zhìliàng |
| 位置 | wèizhi | 重量 | zhòngliàng |
| 味道 | wèidao | 状态 | zhuàngtài |
| 温度 | wēndù | | |
| **丙级** | | | |
| 百分点 | bǎifēndiǎn | 界线 | jièxiàn |
| 丙 | bǐng | 局部 | júbù |
| 产值 | chǎnzhí | 窟窿 | kūlong |
| 长度 | chángdù | 类型 | lèixíng |
| 程序 | chéngxù | 量 | liàng |
| 尺寸 | chǐcùn | 轮廓 | lúnkuò |
| 丁 | dīng | 末 | mò |
| 堆 | duī | 能量 | néngliàng |
| 方 | fāng | 牌子 | páizi |
| 粉 | fěn | 气味 | qìwèi |
| 分量 | fènliàng | 热量 | rèliàng |
| 工序 | gōngxù | 色彩 | sècǎi |
| 功能 | gōngnéng | 摄氏 | shèshì |
| 含量 | hánliàng | 深度 | shēndù |
| 行 | háng | 数据 | shùjù |
| 黄色 | huángsè | 数目 | shùmù |
| 级别 | jíbié | 水分 | shuǐfèn |
| 甲 | jiǎ | 外部 | wàibù |
| 角度 | jiǎodù | 外界 | wàijiè |

| 味 | wèi | 症状 | zhèngzhuàng |
|---|---|---|---|
| 形态 | xíngtài | 直径 | zhíjìng |
| 性能 | xìngnéng | 指标 | zhǐbiāo |
| 乙 | yǐ | 质 | zhì |
| 渣 | zhā | 种类 | zhǒnglèi |
| 整体 | zhěngtǐ | | |

## 六、反映事物特征的名词

| 甲 | | 级 | |
|---|---|---|---|
| 办法 | bànfǎ | 机会 | jīhuì |
| 错误 | cuòwù | 结果 | jiéguǒ |
| 方法 | fāngfǎ | 可能 | kěnéng |
| 好处 | hǎochu | 意义 | yìyì |
| 基础 | jīchǔ | | |
| 乙 | | 级 | |
| 本质 | běnzhì | 坏处 | huàichu |
| 措施 | cuòshī | 积极性 | jījíxìng |
| 方案 | fāng'àn | 阶段 | jiēduàn |
| 方式 | fāngshì | 结论 | jiélùn |
| 方针 | fāngzhēn | 理论 | lǐlùn |
| 个人 | gèrén | 理由 | lǐyóu |
| 个体 | gètǐ | 利益 | lìyì |
| 关键 | guānjiàn | 面貌 | miànmào |
| 规律 | guīlǜ | 目标 | mùbiāo |
| 规模 | guīmó | 目的 | mùdì |
| 过程 | guòchéng | 情景 | qíngjǐng |
| 害处 | hàichu | 情形 | qíngxíng |

| 任务 | rènwu | 性质 | xìngzhì |
|---|---|---|---|
| 私 | sī | 因素 | yīnsù |
| 私人 | sīrén | 用处 | yòngchu |
| 特点 | tèdiǎn | 原因 | yuányīn |
| 体系 | tǐxì | 真理 | zhēnlǐ |
| 危机 | wēijī | 政策 | zhèngcè |
| 系统 | xìtǒng | 制度 | zhìdù |
| 现象 | xiànxiàng | 秩序 | zhìxù |
| 效果 | xiàoguǒ | 重点 | zhòngdiǎn |
| 形式 | xíngshì | 作用 | zuòyòng |
| 形势 | xíngshì | | |
| **丙** | | **级** | |
| 病情 | bìngqíng | 高潮 | gāocháo |
| 步骤 | bùzhòu | 根源 | gēnyuán |
| 草案 | cǎo'àn | 关 | guān |
| 差别 | chābié | 关头 | guāntóu |
| 产物 | chǎnwù | 后果 | hòuguǒ |
| 场合 | chǎnghé | 技巧 | jìqiǎo |
| 场面 | chǎngmiàn | 结果 | jiéguǒ |
| 出路 | chūlù | 局面 | júmiàn |
| 代价 | dàijià | 来源 | láiyuán |
| 待遇 | dàiyù | 领域 | lǐngyù |
| 地步 | dìbù | 逻辑 | luójì |
| 动静 | dòngjing | 奇迹 | qíjì |
| 动力 | dònglì | 气氛 | qìfēn |
| 法子 | fǎzi | 渠道 | qúdào |
| 风气 | fēngqì | 全局 | quánjú |
| 纲领 | gānglǐng | 实质 | shízhì |

| | | | |
|---|---|---|---|
| 是非 | shìfēi | 优势 | yōushì |
| 特征 | tèzhēng | 原理 | yuánlǐ |
| 提纲 | tígāng | 缘故 | yuángù |
| 途径 | tújìng | 战略 | zhànlüè |
| 协定 | xiédìng | 战术 | zhànshù |
| 要点 | yàodiǎn | 证据 | zhèngjù |
| 阴谋 | yīnmóu | 阻力 | zǔlì |
| 用途 | yòngtú | 罪恶 | zuì'è |

# 第二章　动词的语义分类

## 第一节　表示动作、活动的动词

### 一、表示五官动作、活动的动词

#### 1. 单音节表示五官动作、活动的动词

| 甲级 | | | |
|---|---|---|---|
| 唱 | chàng | 看 | kàn |
| 吃 | chī | 哭 | kū |
| 吹 | chuī | 念 | niàn |
| 读 | dú | 说 | shuō |
| 喊 | hǎn | 谈 | tán |
| 喝 | hē | 听 | tīng |
| 见 | jiàn | 问 | wèn |
| 讲 | jiǎng | 笑 | xiào |
| 叫 | jiào | | |
| 乙级 | | | |
| 闭 | bì | 答 | dá |
| 尝 | cháng | 道 | dào |
| 吵 | chǎo | 告 | gào |
| 催 | cuī | 含 | hán |

| | | | |
|---|---|---|---|
| 哼 | hēng | 吐 | tù |
| 呼 | hū | 望 | wàng |
| 聊 | liáo | 闻 | wén |
| 骂 | mà | 吸 | xī |
| 瞧 | qiáo | 咽 | yàn |
| 劝 | quàn | 咬 | yǎo |
| 嚷 | rǎng | 睁 | zhēng |
| 吐 | tǔ | | |
| **丙 级** | | | |
| 报 | bào | 乐 | lè |
| 喘 | chuǎn | 眯 | mī |
| 瞪 | dèng | 鸣 | míng |
| 盯 | dīng | 批 | pī |
| 吼 | hǒu | 评 | píng |
| 唤 | huàn | 吞 | tūn |
| 夸 | kuā | 应 | yìng |

**2. 双音节表示五官动作、活动的动词**

| | | | |
|---|---|---|---|
| **甲 级** | | | |
| 表扬 | biǎoyáng | 看见 | kànjiàn |
| 告诉 | gàosu | 听见 | tīngjiàn |
| 介绍 | jièshào | 听说 | tīngshuō |
| **乙 级** | | | |
| 表达 | biǎodá | 道歉 | dào qiàn |
| 称赞 | chēngzàn | 动员 | dòngyuán |
| 答应 | dāying | 发言 | fā yán |
| 打听 | dǎting | 吩咐（分付） | fēnfù |

| 复述 | fùshù | 谈话 | tán huà |
|---|---|---|---|
| 观察 | guānchá | 微笑 | wēixiào |
| 呼吸 | hūxī | 吸烟<br>（抽烟） | xī yān<br>(chōu yān) |
| 讲话 | jiǎng huà | 形容 | xíngróng |
| 解答 | jiědá | 宣布 | xuānbù |
| 朗读 | lǎngdú | 议论 | yìlùn |
| 强调 | qiángdiào | 阅读 | yuèdú |
| 商量 | shāngliang | 转告 | zhuǎngào |
| **丙　级** | | | |
| 背诵 | bèisòng | 开口 | kāikǒu |
| 吵架 | chǎo jià | 朗诵 | lǎngsòng |
| 传达 | chuándá | 请教 | qǐngjiào |
| 打量 | dǎliang | 散布 | sànbù |
| 反问 | fǎnwèn | 谈论 | tánlùn |
| 讽刺 | fěngcì | 叹气 | tàn qì |
| 歌唱 | gēchàng | 提问 | tíwèn |
| 歌颂 | gēsòng | 提醒 | tíxǐng |
| 公布 | gōngbù | 叙述 | xùshù |
| 鼓动 | gǔdòng | 宣告 | xuāngào |
| 观看 | guānkàn | 询问 | xúnwèn |
| 喊叫 | hǎnjiào | 眼看 | yǎnkàn |
| 胡说 | húshuō | 预告 | yùgào |
| 欢呼 | huānhū | 预祝 | yùzhù |
| 交代 | jiāodài | 赞美 | zànměi |
| 交谈 | jiāotán | 赞扬 | zànyáng |
| 教导 | jiàodǎo | 责备 | zébèi |

| 张望 | zhāngwàng | 注视 | zhùshì |
|---|---|---|---|
| 嘱咐 | zhǔfù | 转达 | zhuǎndá |

## 二、表示身体动作、活动的动词

### 1. 单音节表示身体动作、活动的动词

| 甲级 | | | |
|---|---|---|---|
| 摆 | bǎi | 拍 | pāi |
| 抱 | bào | 跑 | pǎo |
| 擦 | cā | 碰 | pèng |
| 抽 | chōu | 骑 | qí |
| 穿 | chuān | 起 | qǐ |
| 打 | dǎ | 收 | shōu |
| 戴 | dài | 数 | shǔ |
| 点 | diǎn | 睡 | shuì |
| 动 | dòng | 抬 | tái |
| 发 | fā | 躺 | tǎng |
| 翻 | fān | 踢 | tī |
| 放 | fàng | 提 | tí |
| 刮 | guā | 跳 | tiào |
| 挂 | guà | 推 | tuī |
| 接 | jiē | 脱 | tuō |
| 举 | jǔ | 玩儿 | wánr |
| 开 | kāi | 洗 | xǐ |
| 拉 | lā | 站 | zhàn |
| 拿 | ná | 找 | zhǎo |
| 爬 | pá | 指 | zhǐ |

| 装 | zhuāng | 坐 | zuò |
|---|---|---|---|
| 走 | zǒu | | |
| 乙　级 | | | |
| 按 | àn | 顶 | dǐng |
| 拔 | bá | 端 | duān |
| 包 | bāo | 堆 | duī |
| 背 | bēi | 蹲 | dūn |
| 避 | bì | 夺 | duó |
| 补 | bǔ | 躲 | duǒ |
| 捕 | bǔ | 扶 | fú |
| 采 | cǎi | 盖 | gài |
| 踩 | cǎi | 搁 | gē |
| 藏 | cáng | 割 | gē |
| 插 | chā | 跪 | guì |
| 拆 | chāi | 滚 | gǔn |
| 抄 | chāo | 划 | huá |
| 称 | chēng | 挥 | huī |
| 传 | chuán | 夹 | jiā |
| 刺 | cì | 拣 | jiǎn |
| 搭 | dā | 捡 | jiǎn |
| 挡 | dǎng | 剪 | jiǎn |
| 倒 | dào | 解 | jiě |
| 登 | dēng | 卷 | juǎn |
| 递 | dì | 砍 | kǎn |
| 吊 | diào | 扛 | káng |
| 钓 | diào | 靠 | kào |
| 跌 | diē | 扣 | kòu |

| 跨 | kuà | 摔 | shuāi |
|---|---|---|---|
| 捆 | kǔn | 甩 | shuǎi |
| 拦 | lán | 撕 | sī |
| 捞 | lāo | 弹 | tán |
| 立 | lì | 探 | tàn |
| 练 | liàn | 掏 | tāo |
| 量 | liáng | 填 | tián |
| 埋 | mái | 挑 | tiāo |
| 迈 | mài | 贴 | tiē |
| 摸 | mō | 投 | tóu |
| 扭 | niǔ | 涂 | tú |
| 排 | pái | 托 | tuō |
| 捧 | pěng | 拖 | tuō |
| 披 | pī | 挖 | wā |
| 扑 | pū | 弯 | wān |
| 铺 | pū | 围 | wéi |
| 牵 | qiān | 握 | wò |
| 抢 | qiǎng | 掀 | xiān |
| 敲 | qiāo | 歇 | xiē |
| 切 | qiē | 压 | yā |
| 扔 | rēng | 仰 | yǎng |
| 撒 | sā | 摇 | yáo |
| 扫 | sǎo | 扎 | zhā |
| 射 | shè | 摘 | zhāi |
| 伸 | shēn | 粘 | zhān |
| 拾 | shí | 折 | zhé |
| 刷 | shuā | 抓 | zhuā |

| 转 | zhuǎn | 捉 | zhuō |
|---|---|---|---|
| 撞 | zhuàng | 钻 | zuān |
| **丙　　级** | | | |
| 扒 | bā | 架 | jià |
| 把 | bǎ | 搅 | jiǎo |
| 绑 | bǎng | 揭 | jiē |
| 剥 | bāo | 截 | jié |
| 拨 | bō | 揪 | jiū |
| 播 | bō | 溜 | liū |
| 扯 | chě | 拢 | lǒng |
| 撑 | chēng | 搂 | lǒu |
| 盛 | chéng | 抹 | mǒ |
| 搓 | cuō | 捏 | niē |
| 担 | dān | 拧 | nǐng |
| 蹬 | dēng | 趴 | pā |
| 抵 | dǐ | 攀 | pān |
| 垫 | diàn | 盘 | pán |
| 叠 | dié | 抛 | pāo |
| 钉 | dīng | 拼 | pīn |
| 抖 | dǒu | 泼 | pō |
| 封 | fēng | 翘 | qiào |
| 缝 | féng | 揉 | róu |
| 俯 | fǔ | 塞 | sāi |
| 钩 | gōu | 梳 | shū |
| 灌 | guàn | 耍 | shuǎ |
| 裹 | guǒ | 拴 | shuān |
| 护 | hù | 踏 | tà |

| 摊 | tān | 倚 | yǐ |
| --- | --- | --- | --- |
| 挺 | tǐng | 游 | yóu |
| 驮 | tuó | 越 | yuè |
| 挽 | wǎn | 砸 | zá |
| 卧 | wò | 张 | zhāng |
| 削 | xiāo | 遮 | zhē |
| 卸 | xiè | 支 | zhī |
| 押 | yā | 皱 | zhòu |
| 扬 | yáng | | |

**2. 双音节表示身体动作、活动的动词**

| 甲 级 | | | |
| --- | --- | --- | --- |
| 咳嗽 | késou | 睡觉 | shuì jiào |
| 劳动 | láodòng | 跳舞 | tiào wǔ |
| 跑步 | pǎo bù | 握手 | wò shǒu |
| 起床 | qǐ chuáng | 洗澡 | xǐ zǎo |
| 起来 | qǐ lái | 休息 | xiūxi |
| 收拾 | shōushi | 游泳 | yóuyǒng |
| 乙 级 | | | |
| 抄写 | chāoxiě | 鼓掌 | gǔzhǎng |
| 打扮 | dǎban | 接触 | jiēchù |
| 打针 | dǎzhēn | 敬礼 | jìng lǐ |
| 登记 | dēngjì | 理发 | lǐfà |
| 动手 | dòng shǒu | 签订 | qiāndìng |
| 发抖 | fādǒu | 消化 | xiāohuà |
| 反抗 | fǎnkàng | 寻找 | xúnzhǎo |
| 干杯 | gān bēi | 拥抱 | yōngbào |
| 干活儿 | gàn huór | 用力 | yòng lì |

| 整理 | zhěnglǐ | | |
|---|---|---|---|
| | 丙 | 级 | |
| 安装 | ānzhuāng | 攀登 | pāndēng |
| 摆弄 | bǎinòng | 射击 | shèjī |
| 奔跑 | bēnpǎo | 使劲 | shǐ jìn |
| 操作 | cāozuò | 收割 | shōugē |
| 测量 | cèliáng | 挑选 | tiāoxuǎn |
| 插秧 | chā yāng | 跳动 | tiàodòng |
| 颤动 | chàndòng | 袭击 | xíjī |
| 伺候 | cìhou | 消毒 | xiāo dú |
| 打架 | dǎ jià | 旋转 | xuánzhuǎn |
| 打扫 | dǎsǎo | 掩护 | yǎnhù |
| 逮捕 | dàibǔ | 摇摆 | yáobǎi |
| 哆嗦 | duōsuo | 摇晃 | yáohuàng |
| 翻身 | fān shēn | 拥挤 | yōngjǐ |
| 放手 | fàng shǒu | 招手 | zhāo shǒu |
| 放松 | fàngsōng | 注射 | zhùshè |
| 滑雪 | huá xuě | 转动 | zhuàndòng |
| 解剖 | jiěpōu | | |

## 第二节　表示心理活动、感受的动词

### 一、单音节表示心理活动、感受的动词

| | 甲 | 级 | |
|---|---|---|---|
| 爱 | ài | 懂 | dǒng |

| | | | |
|---|---|---|---|
| 记 | jì | 忘 | wàng |
| 怕 | pà | 想 | xiǎng |
| 疼 | téng | | |
| 乙　　级 | | | |
| 猜 | cāi | 忍 | rěn |
| 愁 | chóu | 认 | rèn |
| 好 | hào | 烫 | tàng |
| 恨 | hèn | 痛 | tòng |
| 气 | qì | 信 | xìn |
| 丙　　级 | | | |
| 熬 | áo | 料 | liào |
| 服 | fú | 迷 | mí |
| 计 | jì | 盼 | pàn |
| 惊 | jīng | 嫌 | xián |
| 觉 | jué | 愿 | yuàn |

## 二、双音节表示心理活动、感受的动词

| 甲　　级 | | | |
|---|---|---|---|
| 反对 | fǎnduì | 同意 | tóngyì |
| 感到 | gǎndào | 喜欢 | xǐhuan |
| 感谢 | gǎnxiè | 相信 | xiāngxìn |
| 关心 | guānxīn | 以为 | yǐwéi |
| 坚持 | jiānchí | 原谅 | yuánliàng |
| 觉得 | juéde | 注意 | zhùyì |
| 认为 | rènwéi | | |
| 乙　　级 | | | |
| 承认 | chéngrèn | 担心 | dān xīn |

| 放心 | fàng xīn | 生气 | shēng qì |
|---|---|---|---|
| 感动 | gǎndòng | 同情 | tóngqíng |
| 感激 | gǎnjī | 羡慕 | xiànmù |
| 害怕 | hàipà | 想念 | xiǎngniàn |
| 后悔 | hòuhuǐ | 想象 | xiǎngxiàng |
| 计算 | jìsuàn | 允许 | yǔnxǔ |
| 敬爱 | jìng'ài | 赞成 | zànchéng |
| 考虑 | kǎolǜ | 支持 | zhīchí |
| 满足 | mǎnzú | 值得 | zhíde |
| 盼望 | pànwàng | 重视 | zhòngshì |
| 确定 | quèdìng | 尊敬 | zūnjìng |
| 热爱 | rè'ài | 做梦 | zuò mèng |
| 伤心 | shāng xīn | | |
| **丙　级** | | | |
| 不顾 | búgù | 渴望 | kěwàng |
| 操心 | cāo xīn | 谅解 | liàngjiě |
| 沉思 | chénsī | 领会 | lǐnghuì |
| 惦记 | diànjì | 排斥 | páichì |
| 动摇 | dòngyáo | 佩服 | pèifú |
| 发觉 | fājué | 轻视 | qīngshì |
| 忽视 | hūshì | 忍耐 | rěnnài |
| 怀念 | huáiniàn | 忍受 | rěnshòu |
| 怀疑 | huáiyí | 容许 | róngxǔ |
| 灰心 | huī xīn | 思考 | sīkǎo |
| 回想 | huíxiǎng | 思念 | sīniàn |
| 活该 | huógāi | 思索 | sīsuǒ |
| 警惕 | jǐngtì | 为难 | wéinán |

| 委屈 | wěiqū | 挣扎 | zhēngzhá |
|---|---|---|---|
| 喜爱 | xǐ'ài | 追求 | zhuīqiú |
| 欣赏 | xīnshǎng | 自信 | zìxìn |
| 厌恶 | yànwù | 自愿 | zìyuàn |
| 珍惜 | zhēnxī | 尊重 | zūnzhòng |
| 震动 | zhèndòng | | |

## 第三节 表示位移的动词

### 一、单音节表示位移的动词

| 甲 级 | | | |
|---|---|---|---|
| 搬 | bān | 离 | lí |
| 出 | chū | 去 | qù |
| 到 | dào | 上 | shàng |
| 飞 | fēi | 退 | tuì |
| 跟 | gēn | 往 | wǎng |
| 进 | jìn | 下 | xià |
| 来 | lái | | |
| 乙 级 | | | |
| 挨 | āi | 拐 | guǎi |
| 超 | chāo | 逛 | guàng |
| 冲 | chōng | 经 | jīng |
| 闯 | chuǎng | 落 | luò |
| 达 | dá | 飘 | piāo |
| 渡 | dù | 绕 | rào |
| 赶 | gǎn | 入 | rù |

| 随 | suí | 运 | yùn |
|---|---|---|---|
| 逃 | táo | 至 | zhì |
| 行 | xíng | 转 | zhuàn |
| 移 | yí | 追 | zhuī |
| 丙 | | 级 | |
| 奔 | bēn | 返 | fǎn |
| 奔 | bèn | 归 | guī |
| 撤 | chè | 驶 | shǐ |
| 窜 | cuàn | | |

## 二、双音节表示位移的动词

| 甲 | | 级 | |
|---|---|---|---|
| 出发 | chūfā | 进去 | jìn qù |
| 出来 | chū lái | 经过 | jīngguò |
| 出去 | chū qù | 离开 | lí kāi |
| 过来 | guò lái | 散步 | sàn bù |
| 过去 | guò qù | 上来 | shàng lái |
| 回来 | huí lái | 上去 | shàng qù |
| 回去 | huí qù | 下来 | xià lái |
| 进来 | jìn lái | 下去 | xià qù |
| 乙 | | 级 | |
| 动身 | dòng shēn | 前进 | qiánjìn |
| 进入 | jìnrù | 移动 | yídòng |
| 丙 | | 级 | |
| 出门 | chū mén | 拐弯 | guǎi wān |
| 飞行 | fēixíng | 光临 | guānglín |
| 分离 | fēnlí | 航行 | hángxíng |

| | | | |
|---|---|---|---|
| 后退 | hòutuì | 行驶 | xíngshǐ |
| 驾驶 | jiàshǐ | 跃进 | yuèjìn |
| 靠近 | kàojìn | 转动 | zhuàndòng |
| 路过 | lùguò | 转弯 | zhuǎn wān |
| 起飞 | qǐfēi | 转移 | zhuǎnyí |
| 往来 | wǎnglái | | |

## 第四节 表示状态、变化、结果的动词

### 一、单音节表示状态、变化、结果的动词

| 甲 | 级 | | |
|---|---|---|---|
| 变 | biàn | 加 | jiā |
| 成 | chéng | 了 | liǎo |
| 倒 | dǎo | 剩 | shèng |
| 得 | dé | 输 | shū |
| 等 | děng | 死 | sǐ |
| 掉 | diào | 停 | tíng |
| 丢 | diū | 完 | wán |
| 分 | fēn | 赢 | yíng |
| 关 | guān | 在 | zài |
| 过 | guò | 长 | zhǎng |
| 活 | huó | | |
| 乙 | 级 | | |
| 败 | bài | 呆 | dāi |
| 除 | chú | 冻 | dòng |

| | | | |
|---|---|---|---|
| 堵 | dǔ | 缺 | quē |
| 断 | duàn | 洒 | sǎ |
| 浮 | fú | 闪 | shǎn |
| 合 | hé | 生 | shēng |
| 化 | huà | 升 | shēng |
| 混 | hùn | 胜 | shèng |
| 减 | jiǎn | 缩 | suō |
| 降 | jiàng | 添 | tiān |
| 漏 | lòu | 醒 | xǐng |
| 露 | lòu | 涨 | zhǎng |
| 冒 | mào | 止 | zhǐ |
| 灭 | miè | | |
| **丙　级** | | | |
| 挨 | ái | 结 | jiē |
| 罢 | bà | 节 | jié |
| 垂 | chuí | 聚 | jù |
| 滴 | dī | 看 | kān |
| 斗 | dòu | 垮 | kuǎ |
| 负 | fù | 裂 | liè |
| 攻 | gōng | 淋 | lín |
| 光 | guāng | 露 | lù |
| 耗 | hào | 瞒 | mán |
| 患 | huàn | 蒙 | mēng |
| 晃 | huǎng | 散 | sàn |
| 毁 | huǐ | 设 | shè |
| 获 | huò | 守 | shǒu |
| 溅 | jiàn | 锁 | suǒ |

| 塌 | tā | 晕 | yūn |
|---|---|---|---|
| 瞎 | xiā | 遭 | zāo |
| 现 | xiàn | 炸 | zhà |
| 陷 | xiàn | 胀 | zhàng |
| 悬 | xuán | 震 | zhèn |
| 淹 | yān | 肿 | zhǒng |
| 涌 | yǒng | 中 | zhòng |

## 二、双音节表示状态、变化、结果的动词

| 甲 | 级 | | |
|---|---|---|---|
| 变成 | biàn chéng | 取得 | qǔdé |
| 迟到 | chídào | 实现 | shíxiàn |
| 出现 | chūxiàn | 提高 | tígāo |
| 得到 | dé dào | 通过 | tōngguò |
| 发烧 | fā shāo | 完成 | wánchéng |
| 发生 | fāshēng | 遇到 | yù dào |
| 继续 | jìxù | 再见 | zài jiàn |
| 结束 | jiéshù | 增加 | zēngjiā |
| 进行 | jìnxíng | 知道 | zhīdào |
| 乙 | 级 | | |
| 保持 | bǎochí | 重叠 | chóngdié |
| 产生 | chǎnshēng | 重复 | chóngfù |
| 超过 | chāoguò | 出生 | chūshēng |
| 成立 | chénglì | 出院 | chū yuàn |
| 成为 | chéngwéi | 促进 | cùjìn |
| 成长 | chéngzhǎng | 存在 | cúnzài |
| 充满 | chōngmǎn | 达到 | dá dào |

| 到达 | dàodá | 开放 | kāifàng |
|---|---|---|---|
| 到底 | dào dǐ | 开演 | kāiyǎn |
| 等待 | děngdài | 扩大 | kuòdà |
| 懂得 | dǒngde | 连续 | liánxù |
| 独立 | dúlì | 碰见 | pèng jiàn |
| 发出 | fāchū | 批准 | pīzhǔn |
| 放大 | fàngdà | 拼命 | pīn mìng |
| 放弃 | fàngqì | 取消 | qǔxiāo |
| 奋斗 | fèndòu | 缺少 | quēshǎo |
| 改善 | gǎishàn | 燃烧 | ránshāo |
| 改正 | gǎizhèng | 认得 | rènde |
| 构成 | gòuchéng | 上当 | shàngdàng |
| 恢复 | huīfù | 深入 | shēnrù |
| 昏迷 | hūnmí | 生长 | shēngzhǎng |
| 获得 | huòdé | 失去 | shīqù |
| 积累 | jīlěi | 失业 | shī yè |
| 及格 | jí gé | 提前 | tíqián |
| 记得 | jìde | 停止 | tíngzhǐ |
| 加强 | jiāqiáng | 脱离 | tuōlí |
| 减轻 | jiǎnqīng | 忘记 | wàngjì |
| 减少 | jiǎnshǎo | 围绕 | wéirào |
| 降低 | jiàngdī | 牺牲 | xīshēng |
| 接到 | jiē dào | 显得 | xiǎnde |
| 接受 | jiēshòu | 消灭 | xiāomiè |
| 进攻 | jìngōng | 晓得 | xiǎode |
| 进化 | jìnhuà | 形成 | xíngchéng |
| 拒绝 | jùjué | 延长 | yáncháng |

| | | | |
|---|---|---|---|
| 遇见 | yùjiàn | 战胜 | zhànshèng |
| 遭到 | zāodào | 住院 | zhù yuàn |
| 遭受 | zāoshòu | 抓紧 | zhuā jǐn |
| 增长 | zēngzhǎng | 转变 | zhuǎnbiàn |
| 展出 | zhǎnchū | | |
| **丙 级** | | | |
| 包围 | bāowéi | 诞生 | dànshēng |
| 暴露 | bàolù | 导致 | dǎozhì |
| 爆发 | bàofā | 得病 | dé bìng |
| 爆炸 | bàozhà | 等候 | děnghòu |
| 闭幕 | bì mù | 抵抗 | dǐkàng |
| 濒临 | bīnlín | 懂事 | dǒng shì |
| 不见 | bújiàn | 恶化 | èhuà |
| 不止 | bùzhǐ | 发育 | fāyù |
| 超额 | chāo'é | 泛滥 | fànlàn |
| 陈列 | chénliè | 防守 | fángshǒu |
| 吃亏 | chī kuī | 防御 | fángyù |
| 出事 | chū shì | 废除 | fèichú |
| 处于 | chǔyú | 沸腾 | fèiténg |
| 垂直 | chuízhí | 分裂 | fēnliè |
| 促使 | cùshǐ | 粉碎 | fěnsuì |
| 摧毁 | cuīhuǐ | 丰产 | fēngchǎn |
| 达成 | dá chéng | 丰收 | fēngshōu |
| 打败 | dǎbài | 赶上 | gǎn shàng |
| 打破 | dǎ pò | 攻克 | gōngkè |
| 带动 | dàidòng | 辜负 | gūfù |
| 耽误 | dānwu | 过渡 | guòdù |

| 混淆 | hùnxiáo | 生存 | shēngcún |
|---|---|---|---|
| 加紧 | jiājǐn | 失掉 | shīdiào |
| 加入 | jiārù | 失眠 | shīmián |
| 加速 | jiāsù | 使得 | shǐdé |
| 歼灭 | jiānmiè | 逝世 | shìshì |
| 惊动 | jīngdòng | 收缩 | shōusuō |
| 决口 | jué kǒu | 说服 | shuōfú |
| 开除 | kāichú | 死亡 | sǐwáng |
| 开幕 | kāi mù | 速成 | sùchéng |
| 冷却 | lěngquè | 算数 | suàn shù |
| 连接 | liánjiē | 损坏 | sǔnhuài |
| 流传 | liúchuán | 缩短 | suōduǎn |
| 流动 | liúdòng | 缩小 | suōxiǎo |
| 笼罩 | lǒngzhào | 停留 | tíngliú |
| 露面 | lòu miàn | 投降 | tóuxiáng |
| 面临 | miànlín | 推迟 | tuīchí |
| 灭亡 | mièwáng | 推翻 | tuīfān |
| 扭转 | niǔzhuǎn | 推进 | tuījìn |
| 膨胀 | péngzhàng | 退休 | tuìxiū |
| 飘扬 | piāoyáng | 维持 | wéichí |
| 破产 | pò chǎn | 下降 | xiàjiàng |
| 侵入 | qīnrù | 显示 | xiǎnshì |
| 清除 | qīngchú | 相对 | xiāngduì |
| 丧失 | sàngshī | 消除 | xiāochú |
| 闪烁 | shǎnshuò | 压缩 | yāsuō |
| 上升 | shàngshēng | 养成 | yǎngchéng |
| 生病 | shēng bìng | 氧化 | yǎnghuà |

| 踊跃 | yǒngyuè | 蒸发 | zhēngfā |
|---|---|---|---|
| 运转 | yùnzhuǎn | 中断 | zhōngduàn |
| 遭遇 | zāoyù | 转化 | zhuǎnhuà |
| 增产 | zēng chǎn | 转入 | zhuǎnrù |
| 增进 | zēngjìn | 自治 | zìzhì |
| 增强 | zēngqiáng | 自主 | zìzhǔ |
| 着凉 | zháo liáng | 组成 | zǔchéng |

## 第五节 表示动态关系的动词

### 一、单音节表示动态关系的动词

| 甲级 | | | |
|---|---|---|---|
| 办 | bàn | 寄 | jì |
| 比 | bǐ | 交 | jiāo |
| 查 | chá | 教 | jiāo |
| 差 | chà | 借 | jiè |
| 带 | dài | 留 | liú |
| 当 | dāng | 买 | mǎi |
| 该 | gāi | 卖 | mài |
| 干 | gàn | 请 | qǐng |
| 搞 | gǎo | 让 | ràng |
| 给 | gěi | 试 | shì |
| 花 | huā | 送 | sòng |
| 还 | huán | 算 | suàn |
| 换 | huàn | 为 | wéi |

| | | | |
|---|---|---|---|
| 为 | wèi | 住 | zhù |
| 学 | xué | 祝 | zhù |
| 用 | yòng | 作 | zuò |
| 占 | zhàn | 做 | zuò |
| 乙　级 | | | |
| 帮 | bāng | 即 | jí |
| 保 | bǎo | 尽 | jìn |
| 逼 | bī | 救 | jiù |
| 乘 | chéng | 考 | kǎo |
| 处 | chǔ | 连 | lián |
| 存 | cún | 列 | liè |
| 待 | dài | 领 | lǐng |
| 当 | dàng | 略 | lüè |
| 调 | diào | 闹 | nào |
| 定 | dìng | 弄 | nòng |
| 订 | dìng | 赔 | péi |
| 逗 | dòu | 陪 | péi |
| 犯 | fàn | 骗 | piàn |
| 防 | fáng | 欠 | qiàn |
| 费 | fèi | 求 | qiú |
| 逢 | féng | 取 | qǔ |
| 付 | fù | 惹 | rě |
| 隔 | gé | 赛 | sài |
| 供 | gōng | 杀 | shā |
| 顾 | gù | 省 | shěng |
| 管 | guǎn | 使 | shǐ |
| 划 | huà | 受 | shòu |

| | | | |
|---|---|---|---|
| 替 | tì | 演 | yǎn |
| 偷 | tōu | 养 | yǎng |
| 喂 | wèi | 遇 | yù |
| 吓 | xià | 约 | yuē |
| 献 | xiàn | 争 | zhēng |
| 许 | xǔ | 治 | zhì |
| 选 | xuǎn | | |
| 丙 级 | | | |
| 备 | bèi | 任 | rèn |
| 别 | bié | 容 | róng |
| 测 | cè | 售 | shòu |
| 串 | chuàn | 顺 | shùn |
| 凑 | còu | 需 | xū |
| 代 | dài | 寻 | xún |
| 罚 | fá | 引 | yǐn |
| 购 | gòu | 迎 | yíng |
| 雇 | gù | 载 | zài |
| 汇 | huì | 沾 | zhān |
| 嫁 | jià | 招 | zhāo |
| 兼 | jiān | 征 | zhēng |
| 就 | jiù | 整 | zhěng |
| 据 | jù | 挣 | zhèng |
| 理 | lǐ | 知 | zhī |
| 令 | lìng | 致 | zhì |
| 命 | mìng | 助 | zhù |
| 娶 | qǔ | 驻 | zhù |
| 饶 | ráo | 赚 | zhuàn |

## 二、双音节表示动态关系的动词

| 甲 | 级 | | |
|---|---|---|---|
| 帮助 | bāngzhù | 了解 | liǎojiě |
| 比较 | bǐjiào | 使用 | shǐyòng |
| 参加 | cānjiā | 团结 | tuánjié |
| 服务 | fúwù | 谢谢 | xièxie |
| 复习 | fùxí | 研究 | yánjiū |
| 欢迎 | huānyíng | 预习 | yùxí |
| 解决 | jiějué | 掌握 | zhǎngwò |
| 劳驾 | láo jià | 照顾 | zhàogù |
| 利用 | lìyòng | | |
| 乙 | 级 | | |
| 爱护 | àihù | 度过 | dùguò |
| 帮忙 | bāngmáng | 对待 | duìdài |
| 保卫 | bǎowèi | 对付 | duìfu |
| 表明 | biǎomíng | 发表 | fābiǎo |
| 补充 | bǔchōng | 发动 | fādòng |
| 布置 | bùzhì | 发挥 | fāhuī |
| 采取 | cǎiqǔ | 发扬 | fāyáng |
| 采用 | cǎiyòng | 防止 | fángzhǐ |
| 出席 | chūxí | 分别 | fēnbié |
| 从事 | cóngshì | 分配 | fēnpèi |
| 打扰 | dǎrǎo | 服从 | fúcóng |
| 代替 | dàitì | 供给 | gōngjǐ |
| 担任 | dānrèn | 关照 | guānzhào |

| 管理 | guǎnlǐ | 调整 | tiáozhěng |
|---|---|---|---|
| 贯彻 | guànchè | 统治 | tǒngzhì |
| 加以 | jiāyǐ | 突击 | tūjī |
| 交换 | jiāohuàn | 推动 | tuīdòng |
| 接近 | jiējìn | 推广 | tuīguǎng |
| 节省 | jiéshěng | 违反 | wéifǎn |
| 节约 | jiéyuē | 维护 | wéihù |
| 结合 | jiéhé | 污染 | wūrǎn |
| 纠正 | jiūzhèng | 吸收 | xīshōu |
| 举行 | jǔxíng | 吸引 | xīyǐn |
| 开辟 | kāipì | 响应 | xiǎngyìng |
| 开展 | kāizhǎn | 压迫 | yāpò |
| 克服 | kèfú | 引起 | yǐnqǐ |
| 控制 | kòngzhì | 应用 | yìngyòng |
| 浪费 | làngfèi | 用功 | yòng gōng |
| 联合 | liánhé | 预备 | yùbèi |
| 模仿 | mófǎng | 运用 | yùnyòng |
| 配合 | pèihé | 展开 | zhǎnkāi |
| 破坏 | pòhuài | 召开 | zhàokāi |
| 欺骗 | qīpiàn | 争取 | zhēngqǔ |
| 实行 | shíxíng | 征求 | zhēngqiú |
| 适合 | shìhé | 执行 | zhíxíng |
| 适应 | shìyìng | 指出 | zhǐchū |
| 熟悉 | shúxī | 至今 | zhìjīn |
| 率领 | shuàilǐng | 制定 | zhìdìng |
| 提倡 | tíchàng | 制订 | zhìdìng |
| 提供 | tígōng | 综合 | zōnghé |

| 钻研 | zuānyán | 左右 | zuǒyòu |
|---|---|---|---|
| 遵守 | zūnshǒu | | |
| 丙 | 级 | | |
| 摆脱 | bǎituō | 发电 | fā diàn |
| 办理 | bànlǐ | 防治 | fángzhì |
| 保密 | bǎomì | 妨碍 | fáng'ài |
| 播送 | bōsòng | 废除 | fèichú |
| 操纵 | cāozòng | 费力 | fèi lì |
| 承包 | chéngbāo | 分割 | fēngē |
| 承担 | chéngdān | 分解 | fēnjiě |
| 吃苦 | chī kǔ | 分泌 | fēnmì |
| 出卖 | chūmài | 封锁 | fēngsuǒ |
| 传染 | chuánrǎn | 腐蚀 | fǔshí |
| 传输 | chuánshū | 干涉 | gānshè |
| 打击 | dǎjī | 给以 | gěiyǐ |
| 代理 | dàilǐ | 公用 | gōngyòng |
| 带领 | dàilǐng | 供应 | gōngyìng |
| 带头 | dài tóu | 勾结 | gōujié |
| 担负 | dānfù | 购买 | gòumǎi |
| 当家 | dāng jiā | 关怀 | guānhuái |
| 倒腾 | dǎoteng | 观测 | guāncè |
| 奠定 | diàndìng | 互助 | hùzhù |
| 调动 | diàodòng | 给予 | jǐyǔ |
| 堆积 | duījī | 记载 | jìzǎi |
| 兑换 | duìhuàn | 继承 | jìchéng |
| 多亏 | duōkuī | 揭露 | jiēlù |
| 夺取 | duóqǔ | 尽力 | jìn lì |

| 居住 | jūzhù | 推荐 | tuījiàn |
|---|---|---|---|
| 举办 | jǔbàn | 歪曲 | wāiqū |
| 聚集 | jùjí | 挽救 | wǎnjiù |
| 开动 | kāidòng | 威胁 | wēixié |
| 力求 | lìqiú | 为止 | wéizhǐ |
| 力争 | lìzhēng | 违背 | wéibèi |
| 掠夺 | lüèduó | 委托 | wěituō |
| 轮流 | lúnliú | 闻名 | wénmíng |
| 排列 | páiliè | 吸取 | xīqǔ |
| 赔偿 | péicháng | 修正 | xiūzhèng |
| 迫害 | pòhài | 选修 | xuǎnxiū |
| 欺负 | qīfu | 压制 | yāzhì |
| 强迫 | qiǎngpò | 掩盖 | yǎngài |
| 侵犯 | qīnfàn | 医疗 | yīliáo |
| 伤害 | shānghài | 遗留 | yíliú |
| 设法 | shèfǎ | 抑制 | yìzhì |
| 实施 | shíshī | 引导 | yǐndǎo |
| 收集 | shōují | 引进 | yǐnjìn |
| 束缚 | shùfù | 应付 | yìngfù |
| 树立 | shùlì | 应邀 | yìngyāo |
| 饲养 | sìyǎng | 用心 | yòng xīn |
| 搜集 | sōují | 有意 | yǒuyì |
| 损害 | sǔnhài | 再说 | zàishuō |
| 逃避 | táobì | 载重 | zàizhòng |
| 体现 | tǐxiàn | 在座 | zàizuò |
| 调节 | tiáojié | 占有 | zhànyǒu |
| 推辞 | tuīcí | 照耀 | zhàoyào |

| | | | |
|---|---|---|---|
| 振动 | zhèndòng | 指引 | zhǐyǐn |
| 争夺 | zhēngduó | 制止 | zhìzhǐ |
| 征服 | zhēngfú | 着手 | zhuóshǒu |
| 证实 | zhèngshí | 着重 | zhuózhòng |
| 支配 | zhīpèi | 阻止 | zǔzhǐ |
| 直达 | zhídá | 作战 | zuò zhàn |
| 指点 | zhǐdiǎn | | |

## 第六节 表示静态关系的动词

### 一、单音节表示静态关系的动词

| 甲级 | | | |
|---|---|---|---|
| 朝 | cháo | 向 | xiàng |
| 没 | méi | 有 | yǒu |
| 是 | shì | | |
| 乙级 | | | |
| 称 | chēng | 如 | rú |
| 对 | duì | 无 | wú |
| 临 | lín | | |
| 丙级 | | | |
| 冲 | chòng | 值 | zhí |
| 凭 | píng | | |

### 二、双音节表示静态关系的动词

| 甲级 | | | |
|---|---|---|---|
| 不如 | bùrú | 好像 | hǎoxiàng |

| 例如 | lìrú | 为了 | wèile |
| --- | --- | --- | --- |
| 乙 级 | | | |
| 包括 | bāokuò | 具备 | jùbèi |
| 比如 | bǐrú | 具有 | jùyǒu |
| 避免 | bìmiǎn | 来自 | láizì |
| 不许 | bùxǔ | 善于 | shànyú |
| 当做 | dàngzuò | 属于 | shǔyú |
| 等于 | děngyú | 许 | xǔ |
| 仿佛 | fǎngfú | 有关 | yǒuguān |
| 否定 | fǒudìng | 针对 | zhēnduì |
| 符合 | fúhé | 直到 | zhídào |
| 叫做 | jiàozuò | 作为 | zuòwéi |
| 禁止 | jìnzhǐ | | |
| 丙 级 | | | |
| 包含 | bāohán | 好比 | hǎobǐ |
| 必修 | bìxiū | 面对 | miànduì |
| 必需 | bìxū | 如同 | rútóng |
| 便于 | biànyú | 算是 | suànshì |
| 不比 | bùbǐ | 为首 | wéishǒu |
| 对立 | duìlì | 严禁 | yánjìn |
| 分布 | fēnbù | 在于 | zàiyú |
| 敢于 | gǎnyú | 折合 | zhéhé |

## 第七节 表示事务性活动、社会活动、交际活动的动词

| 甲 级 | | | |
| --- | --- | --- | --- |
| 参观 | cānguān | 锻炼 | duànliàn |

| 放假 | fàng jià | 请假 | qǐng jià |
|---|---|---|---|
| 集合 | jíhé | 上课 | shàng kè |
| 见面 | jiàn miàn | 上学 | shàng xué |
| 开学 | kāi xué | 问好 | wèn hǎo |
| 看病 | kàn bìng | 下课 | xià kè |
| 旅行 | lǚxíng | | |
| 乙　级 | | | |
| 办公 | bàn gōng | 竞赛 | jìngsài |
| 办事 | bàn shì | 开会 | kāi huì |
| 报到 | bào dào | 开课 | kāi kè |
| 报名 | bào míng | 离婚 | lí hūn |
| 毕业 | bì yè | 联欢 | liánhuān |
| 补课 | bǔ kè | 聊天儿 | liáo tiānr |
| 补习 | bǔxí | 侵略 | qīnlüè |
| 采购 | cǎigòu | 请客 | qǐng kè |
| 传播 | chuánbō | 庆祝 | qìngzhù |
| 读书 | dú shū | 上班 | shàng bān |
| 告别 | gàobié | 送行 | sòngxíng |
| 挂号 | guà hào | 谈判 | tánpàn |
| 过年 | guò nián | 听讲 | tīng jiǎng |
| 欢送 | huānsòng | 问候 | wènhòu |
| 会客 | huì kè | 下班 | xià bān |
| 接待 | jiēdài | 消费 | xiāofèi |
| 接见 | jiējiàn | 训练 | xùnliàn |
| 结婚 | jié hūn | 迎接 | yíngjiē |
| 进口 | jìn kǒu | 营业 | yíngyè |
| 进修 | jìnxiū | 游览 | yóulǎn |

| 招待 | zhāodài | 座谈 | zuòtán |
|---|---|---|---|
| 自学 | zìxué | 做客 | zuò kè |
| 坐班 | zuò bān | | |
| 丙　级 | | | |
| 罢工 | bà gōng | 联络 | liánluò |
| 拜访 | bàifǎng | 留学 | liú xué |
| 拜会 | bàihuì | 念书 | niàn shū |
| 报仇 | bàochóu | 请示 | qǐngshì |
| 出租 | chūzū | 申请 | shēnqǐng |
| 打仗 | dǎ zhàng | 审查 | shěnchá |
| 订婚(定婚) | dìng hūn | 实习 | shíxí |
| 犯罪 | fàn zuì | 示威 | shìwēi |
| 放学 | fàng xué | 送礼 | sòng lǐ |
| 放映 | fàngyìng | 通信 | tōng xìn |
| 告辞 | gàocí | 慰问 | wèiwèn |
| 化验 | huàyàn | 应酬 | yìngchóu |
| 加油 | jiā yóu | 预防 | yùfáng |
| 监督 | jiāndū | 援助 | yuánzhù |
| 监视 | jiānshì | 赠送 | zèngsòng |
| 检验 | jiǎnyàn | 占领 | zhànlǐng |
| 讲课 | jiǎng kè | 召集 | zhàojí |
| 进军 | jìnjūn | 镇压 | zhènyā |
| 经营 | jīngyíng | 治疗 | zhìliáo |
| 敬酒 | jìng jiǔ | 主持 | zhǔchí |
| 开饭 | kāi fàn | 转播 | zhuǎnbō |
| 款待 | kuǎndài | | |

# 第八节　表示创造、制作的动词

## 一、单音节表示创造、制作的动词

| 甲级 | | | |
|---|---|---|---|
| 改 | gǎi | 写 | xiě |
| 画 | huà | | |
| **乙级** | | | |
| 编 | biān | 晒 | shài |
| 创 | chuàng | 烧 | shāo |
| 建 | jiàn | 修 | xiū |
| 烤 | kǎo | 印 | yìn |
| 刻 | kè | 造 | zào |
| 录 | lù | 照 | zhào |
| 磨 | mó | 织 | zhī |
| 喷 | pēn | 种 | zhòng |
| 染 | rǎn | 煮 | zhǔ |
| **丙级** | | | |
| 炒 | chǎo | 配 | pèi |
| 纺 | fǎng | 删 | shān |
| 焊 | hàn | 绣 | xiù |
| 煎 | jiān | 栽 | zāi |
| 浇 | jiāo | 凿 | záo |
| 浸 | jìn | 制 | zhì |
| 炼 | liàn | 铸 | zhù |

## 二、双音节表示创造、制作的动词

| 甲 级 | | | |
|---|---|---|---|
| 照相 | zhào xiàng | | |
| 乙 级 | | | |
| 出版 | chūbǎn | 描写 | miáoxiě |
| 纺织 | fǎngzhī | 施工 | shī gōng |
| 复印 | fùyìn | 修理 | xiūlǐ |
| 改进 | gǎijìn | 印刷 | yìnshuā |
| 加工 | jiā gōng | 造句 | zào jù |
| 建立 | jiànlì | 制造 | zhìzào |
| 丙 级 | | | |
| 创立 | chuànglì | 开设 | kāishè |
| 发射 | fāshè | 拍摄 | pāishè |
| 发行 | fāxíng | 培养 | péiyǎng |
| 繁殖 | fánzhí | 培育 | péiyù |
| 复制 | fùzhì | 摄影 | shèyǐng |
| 改编 | gǎibiān | 写作 | xiězuò |
| 灌溉 | guàngài | 修建 | xiūjiàn |
| 合成 | héchéng | 修筑 | xiūzhù |
| 化合 | huàhé | 研制 | yánzhì |
| 混合 | hùnhé | 印染 | yìnrǎn |
| 建造 | jiànzào | 制作 | zhìzuò |
| 开办 | kāibàn | 种植 | zhòngzhí |
| 开发 | kāifā | | |

## 第九节　助动词

| 甲级 | | | |
|---|---|---|---|
| 必须 | bìxū | 能 | néng |
| 得 | děi | 能够 | nénggòu |
| 该 | gāi | 想 | xiǎng |
| 敢 | gǎn | 要 | yào |
| 会 | huì | 应该 | yīnggāi |
| 可能 | kěnéng | 愿意 | yuànyì |
| 可以 | kěyǐ | | |
| **乙级** | | | |
| 肯 | kěn | 应当 | yīngdāng |
| 应 | yīng | | |
| **丙级** | | | |
| 当 | dāng | 愿 | yuàn |
| 须 | xū | 总得 | zǒngděi |

# 第三章　形容词的语义分类

## 第一节　表示度量的形容词

| 甲　级 | | | |
|---|---|---|---|
| 矮 | ǎi | 轻 | qīng |
| 长 | cháng | 容易 | róngyì |
| 大 | dà | 深 | shēn |
| 短 | duǎn | 特别 | tèbié |
| 多 | duō | 完全 | wánquán |
| 高 | gāo | 伟大 | wěidà |
| 贵 | guì | 细 | xì |
| 合适 | héshì | 小 | xiǎo |
| 快 | kuài | 许多 | xǔduō |
| 慢 | màn | 一般 | yìbān |
| 难 | nán | 有名 | yǒumíng |
| 浅 | qiǎn | 重要 | zhòngyào |
| 乙　级 | | | |
| 薄 | báo | 差不多 | chàbuduō |
| 宝贵 | bǎoguì | 彻底 | chèdǐ |
| 必要 | bìyào | 充分 | chōngfèn |
| 不少 | bùshǎo | 充足 | chōngzú |
| 差 | chà | 粗 | cū |

| 大量 | dàliàng | 弱 | ruò |
|---|---|---|---|
| 大批 | dàpī | 深厚 | shēnhòu |
| 淡 | dàn | 深刻 | shēnkè |
| 肥 | féi | 湿 | shī |
| 干 | gān | 适当 | shìdàng |
| 广大 | guǎngdà | 瘦 | shòu |
| 好些 | hǎoxiē | 熟练 | shúliàn |
| 厚 | hòu | 无数 | wúshù |
| 激烈 | jīliè | 无限 | wúxiàn |
| 艰巨 | jiānjù | 显然 | xiǎnrán |
| 尖锐 | jiānruì | 显著 | xiǎnzhù |
| 巨大 | jùdà | 相当 | xiāngdāng |
| 空前 | kōngqián | 迅速 | xùnsù |
| 宽 | kuān | 严格 | yángé |
| 厉害(利害) | lìhai | 严重 | yánzhòng |
| 良好 | liánghǎo | 要紧 | yàojǐn |
| 流利 | liúlì | 异常 | yìcháng |
| 密 | mì | 优良 | yōuliáng |
| 明显 | míngxiǎn | 有力 | yǒulì |
| 浓 | nóng | 窄 | zhǎi |
| 胖 | pàng | 正好 | zhènghǎo |
| 强 | qiáng | 重大 | zhòngdà |
| 强大 | qiángdà | 著名 | zhùmíng |
| 强烈 | qiángliè | 准确 | zhǔnquè |
| 热烈 | rèliè | | |
| **丙　　级** | | | |
| 薄弱 | bóruò | 不够 | búgòu |

| 不足 | bùzú | 猛 | měng |
|---|---|---|---|
| 纯 | chún | 猛烈 | měngliè |
| 次 | cì | 恰当 | qiàdàng |
| 地道 | dìdao | 轻易 | qīngyì |
| 多余 | duōyú | 适宜 | shìyí |
| 飞快 | fēikuài | 丝毫 | sīháo |
| 光 | guāng | 特 | tè |
| 过分 | guòfèn | 妥当 | tuǒdàng |
| 含糊 | hánhu | 微小 | wēixiǎo |
| 缓慢 | huǎnmàn | 无比 | wúbǐ |
| 贱 | jiàn | 稀 | xī |
| 惊人 | jīngrén | 细致 | xìzhì |
| 精细 | jīngxì | 严 | yán |
| 精致 | jīngzhì | 易 | yì |
| 均 | jūn | 有限 | yǒuxiàn |
| 均匀 | jūnyún | 扎实 | zhāshi |
| 阔 | kuò | 珍贵 | zhēnguì |
| 牢 | láo | 足 | zú |

## 第二节 表示属性、性质的形容词

| 甲 级 | | | |
|---|---|---|---|
| 大概 | dàgài | 基本 | jīběn |
| 当然 | dāngrán | 男 | nán |
| 对 | duì | 女 | nǚ |
| 好 | hǎo | 确实 | quèshí |
| 坏 | huài | 一定 | yídìng |

| 一样 | yíyàng | 正确 | zhèngquè |
|---|---|---|---|
| 原来 | yuánlái | 主要 | zhǔyào |
| 真正 | zhēnzhèng | | |
| 乙 级 | | | |
| 本来 | běnlái | 耐用 | nàiyòng |
| 必然 | bìrán | 亲爱 | qīn'ài |
| 抽象 | chōuxiàng | 人工 | réngōng |
| 初 | chū | 人造 | rénzào |
| 初步 | chūbù | 日常 | rìcháng |
| 初级 | chūjí | 实用 | shíyòng |
| 大型 | dàxíng | 所谓 | suǒwèi |
| 单 | dān | 特殊 | tèshū |
| 副 | fù | 雄 | xióng |
| 个别 | gèbié | 业余 | yèyú |
| 公费 | gōngfèi | 真实 | zhēnshí |
| 公共 | gōnggòng | 正常 | zhèngcháng |
| 共同 | gòngtóng | 正式 | zhèngshì |
| 合理 | hélǐ | 直接 | zhíjiē |
| 假 | jiǎ | 专门 | zhuānmén |
| 具体 | jùtǐ | 自动 | zìdòng |
| 绝对 | juéduì | 自费 | zìfèi |
| 可以 | kěyǐ | 自然 | zìrán |
| 空 | kōng | | |
| 丙 级 | | | |
| 棒 | bàng | 大致 | dàzhì |
| 不对 | búduì | 单独 | dāndú |
| 次要 | cìyào | 非 | fēi |

| 高等 | gāoděng | 天然 | tiānrán |
|---|---|---|---|
| 高级 | gāojí | 土 | tǔ |
| 高速 | gāosù | 无疑 | wúyí |
| 公 | gōng | 现成 | xiànchéng |
| 古典 | gǔdiǎn | 相对 | xiāngduì |
| 合法 | héfǎ | 心爱 | xīn'ài |
| 合格 | hégé | 新生 | xīnshēng |
| 活 | huó | 新式 | xīnshì |
| 机动 | jīdòng | 新型 | xīnxíng |
| 佳 | jiā | 洋 | yáng |
| 绝 | jué | 一系列 | yíxìliè |
| 口头 | kǒutóu | 有机 | yǒujī |
| 民用 | mínyòng | 有益 | yǒuyì |
| 平行 | píngxíng | 原始 | yuánshǐ |
| 切实 | qièshí | 正当 | zhèngdàng |
| 日用 | rìyòng | 正面 | zhèngmiàn |
| 双 | shuāng | 衷心 | zhōngxīn |
| 私有 | sīyǒu | 专 | zhuān |
| 死 | sǐ | | |

## 第三节 表示时间、空间、范围的形容词

### 一、表示时间的形容词

| 甲 级 | | | |
|---|---|---|---|
| 经常 | jīngcháng | 久 | jiǔ |

| 晚 | wǎn | 早 | zǎo |
|---|---|---|---|
| 乙　级 | | | |
| 古 | gǔ | 悠久 | yōujiǔ |
| 古老 | gǔlǎo | 暂时 | zànshí |
| 及时 | jíshí | 准时 | zhǔnshí |
| 临时 | línshí | | |
| 丙　级 | | | |
| 长久 | chángjiǔ | 难得 | nándé |
| 长远 | chángyuǎn | 偶然 | ǒurán |
| 迟 | chí | 通常 | tōngcháng |
| 持久 | chíjiǔ | 原先 | yuánxiān |
| 漫长 | màncháng | | |

## 二、表示空间、范围的形容词

| 甲　级 | | | |
|---|---|---|---|
| 近 | jìn | 所有 | suǒyǒu |
| 满 | mǎn | 远 | yuǎn |
| 全 | quán | | |
| 乙　级 | | | |
| 遍 | biàn | 普遍 | pǔbiàn |
| 广泛 | guǎngfàn | 全面 | quánmiàn |
| 广阔 | guǎngkuò | 完整 | wánzhěng |
| 片面 | piànmiàn | 整个 | zhěnggè |
| 丙　级 | | | |
| 广 | guǎng | 上述 | shàngshù |
| 宽阔 | kuānkuò | 完备 | wánbèi |
| 偏 | piān | 下列 | xiàliè |

| 整 | zhěng | | |
|---|---|---|---|

## 第四节 表示外部特征的形容词

### 一、表示外部形状的形容词

| 乙 级 | | | |
|---|---|---|---|
| 扁 | biǎn | 碎 | suì |
| 方 | fāng | 歪 | wāi |
| 尖 | jiān | 斜 | xié |
| 平 | píng | 正 | zhèng |
| 丙 级 | | | |
| 陡 | dǒu | 弯曲 | wānqū |

### 二、表示颜色的形容词

| 甲 级 | | | |
|---|---|---|---|
| 白 | bái | 黄 | huáng |
| 黑 | hēi | 蓝 | lán |
| 红 | hóng | 绿 | lǜ |
| 乙 级 | | | |
| 灰 | huī | 紫 | zǐ |
| 青 | qīng | | |
| 丙 级 | | | |
| 苍白 | cāngbái | 洁白 | jiébái |
| 花 | huā | 鲜艳 | xiānyàn |

## 三、表示外观、外表的形容词

| 甲级 | | | |
|---|---|---|---|
| 干净 | gānjìng | 漂亮 | piàoliang |
| 好看 | hǎokàn | 新 | xīn |
| 旧 | jiù | 脏 | zāng |
| 老 | lǎo | 整齐 | zhěngqí |
| 年轻 | niánqīng | | |
| **乙级** | | | |
| 动人 | dòngrén | 难看 | nánkàn |
| 高大 | gāodà | 年青 | niánqīng |
| 怪 | guài | 普通 | pǔtōng |
| 结实 | jiēshi | 朴素 | pǔsù |
| 可爱 | kě'ài | 新鲜 | xīnxiān |
| 美 | měi | 雄伟 | xióngwěi |
| 美丽 | měilì | 优美 | yōuměi |
| **丙级** | | | |
| 灿烂 | cànlàn | 嫩 | nèn |
| 丑 | chǒu | 破烂 | pòlàn |
| 宏伟 | hóngwěi | 清洁 | qīngjié |
| 精神 | jīngshen | 透明 | tòumíng |
| 净 | jìng | 污 | wū |
| 枯 | kū | 崭新 | zhǎnxīn |
| 美观 | měiguān | 壮丽 | zhuànglì |

# 第五节 表示感觉、感受的形容词

## 一、表示感官感受的形容词

| 甲级 | | | |
|---|---|---|---|
| 饱 | bǎo | 凉快 | liángkuai |
| 大声 | dàshēng | 清楚 | qīngchu |
| 好吃 | hǎochī | 舒服 | shūfu |
| 紧 | jǐn | 酸 | suān |
| 渴 | kě | 香 | xiāng |
| 苦 | kǔ | 响 | xiǎng |
| 累 | lèi | 重 | zhòng |
| 冷 | lěng | | |
| 乙级 | | | |
| 暗 | àn | 凉 | liáng |
| 臭 | chòu | 明亮 | míngliàng |
| 干燥 | gānzào | 疲劳 | píláo |
| 寒冷 | hánlěng | 软 | ruǎn |
| 好听 | hǎotīng | 舒适 | shūshì |
| 黑暗 | hēi'àn | 甜 | tián |
| 滑 | huá | 鲜 | xiān |
| 困 | kùn | 硬 | yìng |
| 丙级 | | | |
| 潮湿 | cháoshī | 光滑 | guānghuá |
| 甘 | gān | 饥饿 | jī'è |

| 坚硬 | jiānyìng | 清晰 | qīngxī |
|---|---|---|---|
| 僵 | jiāng | 柔软 | róuruǎn |
| 辣 | là | 湿润 | shīrùn |
| 闷 | mèn | 咸 | xián |
| 模糊 | móhu | 响亮 | xiǎngliàng |
| 疲倦 | píjuàn | 隐约 | yǐnyuē |

## 二、表示心理感受的形容词

| 甲级 | | | |
|---|---|---|---|
| 急 | jí | 突然 | tūrán |
| 紧张 | jǐnzhāng | 幸福 | xìngfú |
| 满意 | mǎnyì | 愉快 | yúkuài |
| 痛快 | tòngkuai | 着急 | zháojí |
| 乙级 | | | |
| 安心 | ānxīn | 快乐 | kuàilè |
| 抱歉 | bàoqiàn | 美好 | měihǎo |
| 悲痛 | bēitòng | 难受 | nánshòu |
| 不幸 | búxìng | 平静 | píngjìng |
| 吃惊 | chījīng | 迫切 | pòqiè |
| 崇高 | chónggāo | 奇怪 | qíguài |
| 愤怒 | fènnù | 亲切 | qīnqiè |
| 光明 | guāngmíng | 失望 | shīwàng |
| 光荣 | guāngróng | 痛苦 | tòngkǔ |
| 好玩儿 | hǎowánr | 兴奋 | xīngfèn |
| 骄傲 | jiāo'ào | 庄严 | zhuāngyán |
| 可怕 | kěpà | | |
| 丙级 | | | |
| 悲哀 | bēi'āi | 不安 | bù'ān |

| 惭愧 | cánkuì | 恐怖 | kǒngbù |
| --- | --- | --- | --- |
| 沉重 | chénzhòng | 快活 | kuàihuo |
| 吃力 | chīlì | 迷糊 | míhu |
| 得意 | déyì | 怒 | nù |
| 好奇 | hàoqí | 气愤 | qìfèn |
| 欢乐 | huānlè | 荣幸 | róngxìng |
| 欢喜 | huānxǐ | 神秘 | shénmì |
| 急躁 | jízào | 神圣 | shénshèng |
| 寂寞 | jìmò | 舒畅 | shūchàng |
| 焦急 | jiāojí | 踏实 | tāshi |
| 惊奇 | jīngqí | 喜悦 | xǐyuè |
| 惊讶 | jīngyà | 遗憾 | yíhàn |
| 惊异 | jīngyì | 犹豫 | yóuyù |
| 可惜 | kěxī | 自豪 | zìháo |
| 可笑 | kěxiào | | |

## 第六节 表示人物态度、性格、素质、品格的形容词

| 甲 级 | | | |
| --- | --- | --- | --- |
| 努力 | nǔlì | 伟大 | wěidà |
| 热情 | rèqíng | 友好 | yǒuhǎo |
| 认真 | rènzhēn | | |
| 乙 级 | | | |
| 笨 | bèn | 诚实 | chéngshí |
| 沉默 | chénmò | 聪明 | cōngmíng |
| 诚恳 | chéngkěn | 大胆 | dàdǎn |

| | | | |
|---|---|---|---|
| 呆 | dāi | 热心 | rèxīn |
| 干脆 | gāncuì | 傻 | shǎ |
| 故意 | gùyì | 实在 | shízài |
| 糊涂 | hútu | 随便 | suíbiàn |
| 活泼 | huópo | 天真 | tiānzhēn |
| 积极 | jījí | 细心 | xìxīn |
| 坚决 | jiānjué | 虚心 | xūxīn |
| 坚强 | jiānqiáng | 严肃 | yánsù |
| 开明 | kāimíng | 英勇 | yīngyǒng |
| 可靠 | kěkào | 勇敢 | yǒnggǎn |
| 刻苦 | kèkǔ | 优秀 | yōuxiù |
| 懒 | lǎn | 主动 | zhǔdòng |
| 老实 | lǎoshi | 专心 | zhuānxīn |
| 灵活 | línghuó | 仔细 | zǐxì |
| 马虎 | mǎhu | 自觉 | zìjué |
| 能干 | nénggàn | | |
| **丙　　级** | | | |
| 纯洁 | chúnjié | 疯狂 | fēngkuáng |
| 匆忙 | cōngmáng | 高尚 | gāoshàng |
| 从容 | cóngróng | 乖 | guāi |
| 粗心 | cūxīn | 狠 | hěn |
| 大方 | dàfang | 慌忙 | huāngmáng |
| 单纯 | dānchún | 狡猾 | jiǎohuá |
| 独特 | dútè | 谨慎 | jǐnshèn |
| 恶 | è | 精 | jīng |
| 恶劣 | èliè | 狂 | kuáng |
| 疯 | fēng | 冷静 | lěngjìng |

| 敏捷 | mǐnjié | 消极 | xiāojí |
|---|---|---|---|
| 耐烦 | nàifán | 辛勤 | xīnqín |
| 能 | néng | 凶 | xiōng |
| 平凡 | píngfán | 凶恶 | xiōng'è |
| 谦虚 | qiānxū | 严厉 | yánlì |
| 勤劳 | qínláo | 一心 | yìxīn |
| 任性 | rènxìng | 英明 | yīngmíng |
| 软弱 | ruǎnruò | 幼稚 | yòuzhì |
| 慎重 | shènzhòng | 愚蠢 | yúchǔn |
| 调皮 | tiáopí | 镇静 | zhènjìng |
| 顽固 | wángù | 正经 | zxèngjing |
| 顽强 | wánqiáng | 忠实 | zhōngshí |
| 温和 | wēnhé | 自满 | zìmǎn |
| 无情 | wúqíng | 自私 | zìsī |
| 鲜明 | xiānmíng | | |

## 第七节　表示状态、境况、方式、关系的形容词

| 甲级 | | | |
|---|---|---|---|
| 安静 | ānjìng | 乱 | luàn |
| 不错 | búcuò | 忙 | máng |
| 不同 | bùtóng | 晴 | qíng |
| 复杂 | fùzá | 熟 | shú |
| 简单 | jiǎndān | 阴 | yīn |
| 精彩 | jīngcǎi | | |
| 乙级 | | | |
| 单调 | dāndiào | 发达 | fādá |

| 纷纷 | fēnfēn | 同样 | tóngyàng |
|---|---|---|---|
| 封建 | fēngjiàn | 头 | tóu |
| 富 | fù | 稳 | wěn |
| 好好儿 | hǎohāor | 稳定 | wěndìng |
| 艰苦 | jiānkǔ | 先进 | xiānjìn |
| 静 | jìng | 闲 | xián |
| 乐观 | lèguān | 相互 | xiānghù |
| 落后 | luòhòu | 相似 | xiāngsì |
| 妙 | miào | 相同 | xiāngtóng |
| 平安 | píng'ān | 详细 | xiángxì |
| 巧 | qiǎo | 一致 | yízhì |
| 巧妙 | qiǎomiào | 有利 | yǒulì |
| 穷 | qióng | 有趣 | yǒuqù |
| 生 | shēng | 有效 | yǒuxiào |
| 生动 | shēngdòng | 有用 | yǒu yòng |
| 顺利 | shùnlì | 糟糕 | zāogāo |
| 同 | tóng | 照常 | zhàocháng |
| **丙级** | | | |
| 悲观 | bēiguān | 旱 | hàn |
| 被动 | bèidòng | 合算 | hésuàn |
| 不利 | búlì | 荒 | huāng |
| 残酷 | cánkù | 辉煌 | huīhuáng |
| 惨 | cǎn | 混乱 | hùnluàn |
| 分明 | fēnmíng | 坚固 | jiāngù |
| 腐朽 | fǔxiǔ | 艰难 | jiānnán |
| 富裕 | fùyù | 简便 | jiǎnbiàn |
| 干旱 | gānhàn | 紧急 | jǐnjí |

| 紧密 | jǐnmì | 曲折 | qūzhé |
|---|---|---|---|
| 紧俏 | jǐnqiào | 衰弱 | shuāiruò |
| 可行 | kěxíng | 顺 | shùn |
| 牢固 | láogù | 顺手 | shùnshǒu |
| 类似 | lèisì | 通顺 | tōngshùn |
| 盲目 | mángmù | 险 | xiǎn |
| 陌生 | mòshēng | 要好 | yàohǎo |
| 蓬勃 | péngbó | 依旧 | yījiù |
| 贫苦 | pínkǔ | 优胜 | yōushèng |
| 贫穷 | pínqióng | 优越 | yōuyuè |
| 亲 | qīn | 圆满 | yuánmǎn |
| 亲热 | qīnrè | 糟 | zāo |

# 第四章　主要兼类词

## 第一节　名词、动词兼类

| 甲级 | | | |
|---|---|---|---|
| 安排 | ānpái | 回答 | huídá |
| 比赛 | bǐsài | 会话 | huìhuà |
| 变化 | biànhuà | 活动 | huódòng |
| 表示 | biǎoshì | 计划 | jìhuà |
| 表现 | biǎoxiàn | 检查 | jiǎnchá |
| 表演 | biǎoyǎn | 建设 | jiànshè |
| 病 | bìng | 教育 | jiàoyù |
| 打算 | dǎsuàn | 决定 | juédìng |
| 代表 | dàibiǎo | 开始 | kāishǐ |
| 发现 | fāxiàn | 考试 | kǎoshì |
| 发展 | fāzhǎn | 联系 | liánxì |
| 翻译 | fānyì | 练习 | liànxí |
| 访问 | fǎngwèn | 领导 | lǐngdǎo |
| 改变 | gǎibiàn | 留念 | liúniàn |
| 感冒 | gǎnmào | 流 | liú |
| 工作 | gōngzuò | 派 | pài |
| 关系 | guānxi | 批评 | pīpíng |
| 广播 | guǎngbō | 认识 | rènshi |

| | | | |
|---|---|---|---|
| 生产 | shēngchǎn | 姓 | xìng |
| 生活 | shēnghuó | 需要 | xūyào |
| 胜利 | shènglì | 学习 | xuéxí |
| 实践 | shíjiàn | 演出 | yǎnchū |
| 说明 | shuōmíng | 要求 | yāoqiú |
| 讨论 | tǎolùn | 影响 | yǐngxiǎng |
| 听写 | tīngxiě | 运动 | yùndòng |
| 通知 | tōngzhī | 展览 | zhǎnlǎn |
| 希望 | xīwàng | 准备 | zhǔnbèi |
| 习惯 | xíguàn | 组织 | zǔzhī |
| 像 | xiàng | | |
| 乙 级 | | | |
| 爱好 | àihào | 对话 | duìhuà |
| 安慰 | ānwèi | 发明 | fāmíng |
| 包裹 | bāoguǒ | 反应 | fǎnyìng |
| 保护 | bǎohù | 反映 | fǎnyìng |
| 保证 | bǎozhèng | 分析 | fēnxī |
| 报道（报导） | bàodào（bàodǎo） | 辅导 | fǔdǎo |
| 报告 | bàogào | 改革 | gǎigé |
| 测验 | cèyàn | 改造 | gǎizào |
| 处分 | chǔfèn | 概括 | gàikuò |
| 处理 | chǔlǐ | 感觉 | gǎnjué |
| 创造 | chuàngzào | 根据 | gēnjù |
| 创作 | chuàngzuò | 贡献 | gòngxiàn |
| 调查 | diàochá | 估计 | gūjì |
| 斗争 | dòuzhēng | 鼓励 | gǔlì |
| 对比 | duìbǐ | 鼓舞 | gǔwǔ |

| 规定 | guīdìng | 命令 | mìnglìng |
|---|---|---|---|
| 害 | hài | 判断 | pànduàn |
| 号召 | hàozhào | 企图 | qǐtú |
| 合作 | hézuò | 启发 | qǐfā |
| 滑冰 | huá bīng | 请求 | qǐngqiú |
| 回信 | huí xìn | 区别 | qūbié |
| 回忆 | huíyì | 伤 | shāng |
| 会见 | huìjiàn | 设计 | shèjì |
| 会谈 | huìtán | 失败 | shībài |
| 集 | jí | 实验 | shíyàn |
| 记录 | jìlù | 试验 | shìyàn |
| 记忆 | jìyì | 收获 | shōuhuò |
| 纪念 | jìniàn | 收入 | shōurù |
| 建议 | jiànyì | 损失 | sǔnshī |
| 建筑 | jiànzhù | 体会 | tǐhuì |
| 奖 | jiǎng | 同屋 | tóng wū |
| 交际 | jiāojì | 投入 | tóurù |
| 交流 | jiāoliú | 危害 | wēihài |
| 教训 | jiàoxùn | 误会 | wùhuì |
| 解放 | jiěfàng | 现代化 | xiàndàihuà |
| 解释 | jiěshì | 限制 | xiànzhì |
| 经历 | jīnglì | 享受 | xiǎngshòu |
| 决心 | juéxīn | 笑话 | xiàohua |
| 觉悟 | juéwù | 行动 | xíngdòng |
| 理解 | lǐjiě | 修改 | xiūgǎi |
| 恋爱 | liàn'ài | 宣传 | xuānchuán |
| 旅游 | lǚyóu | 选举 | xuǎnjǔ |

| | | | |
|---|---|---|---|
| 选择 | xuǎnzé | 支援 | zhīyuán |
| 邀请 | yāoqǐng | 指导 | zhǐdǎo |
| 依靠 | yīkào | 指挥 | zhǐhuī |
| 疑问 | yíwèn | 指示 | zhǐshì |
| 运输 | yùnshū | 主张 | zhǔzhāng |
| 战斗 | zhàndòu | 祝贺 | zhùhè |
| 招呼 | zhāohu | 总结 | zǒngjié |
| 争论 | zhēnglùn | 走道儿 | zǒu dàor |
| 证明 | zhèngmíng | 组 | zǔ |
| **丙 级** | | | |
| 把握 | bǎwò | 测试 | cèshì |
| 保管 | bǎoguǎn | 铲 | chǎn |
| 保障 | bǎozhàng | 称呼 | chēnghu |
| 报复 | bàofù | 冲击 | chōngjī |
| 编辑 | biānjí | 冲突 | chōngtū |
| 编制 | biānzhì | 仇恨 | chóuhèn |
| 变动 | biàndòng | 出身 | chūshēn |
| 变革 | biàngé | 传说 | chuánshuō |
| 辩论 | biànlùn | 创新 | chuàngxīn |
| 标志 | biāozhì | 刺激 | cìjī |
| 部署 | bùshǔ | 答复 | dáfù |
| 猜想 | cāixiǎng | 大便 | dàbiàn |
| 裁判 | cáipàn | 代办 | dàibàn |
| 参考 | cānkǎo | 导演 | dǎoyǎn |
| 参谋 | cānmóu | 雕刻 | diāokè |
| 侧 | cè | 反击 | fǎnjī |

| 飞跃 | fēiyuè | 来往 | láiwǎng |
|---|---|---|---|
| 分工 | fēn gōng | 论 | lùn |
| 负担 | fùdān | 梦想 | mèngxiǎng |
| 改良 | gǎiliáng | 泡 | pào |
| 干扰 | gānrǎo | 陪同 | péitóng |
| 感受 | gǎnshòu | 批判 | pīpàn |
| 革命 | gémìng | 评价 | píngjià |
| 革新 | géxīn | 评论 | pínglùn |
| 弓 | gōng | 起义 | qǐyì |
| 攻击 | gōngjī | 起源 | qǐyuán |
| 规划 | guīhuà | 倾向 | qīngxiàng |
| 合唱 | héchàng | 劝告 | quàngào |
| 怀 | huái | 设想 | shèxiǎng |
| 幻想 | huànxiǎng | 声明 | shēngmíng |
| 汇报 | huìbào | 剩余 | shèngyú |
| 汇款 | huì kuǎn | 探索 | tànsuǒ |
| 检讨 | jiǎntǎo | 提议 | tíyì |
| 鉴定 | jiàndìng | 统计 | tǒngjì |
| 奖励 | jiǎnglì | 突破 | tūpò |
| 结 | jié | 退步 | tuìbù |
| 借口 | jièkǒu | 吻 | wěn |
| 警告 | jǐnggào | 诬蔑 | wūmiè |
| 竞争 | jìngzhēng | 武装 | wǔzhuāng |
| 抗议 | kàngyì | 侮辱 | wǔrǔ |
| 考察 | kǎochá | 象征 | xiàngzhēng |
| 考验 | kǎoyàn | 消耗 | xiāohào |
| 坑 | kēng | 小便 | xiǎobiàn |

| 协作 | xiézuò | 怨 | yuàn |
|---|---|---|---|
| 信任 | xìnrèn | 障碍 | zhàng'ài |
| 锈 | xiù | 罩 | zhào |
| 循环 | xúnhuán | 折磨 | zhémó |
| 演说 | yǎnshuō | 针灸 | zhēnjiǔ |
| 依据 | yījù | 整顿 | zhěngdùn |
| 疑心 | yíxīn | 祝愿 | zhùyuàn |
| 意识 | yìshí | 装备 | zhuāngbèi |
| 游行 | yóuxíng | 装饰 | zhuāngshì |
| 余 | yú | 租 | zū |
| 娱乐 | yúlè | 阻碍 | zǔ'ài |
| 预报 | yùbào | | |

## 第二节　名词、形容词兼类

| 甲　级 | | | |
|---|---|---|---|
| 错 | cuò | 便宜 | piányi |
| 后 | hòu | 危险 | wēixiǎn |
| 健康 | jiànkāng | 圆 | yuán |
| 科学 | kēxué | 中 | zhōng |
| 困难 | kùnnan | | |
| 乙　级 | | | |
| 安全 | ānquán | 光辉 | guānghuī |
| 标准 | biāozhǔn | 矛盾 | máodùn |
| 不平 | bùpíng | 秘密 | mìmì |
| 高度 | gāodù | 民主 | mínzhǔ |
| 根本 | gēnběn | 母 | mǔ |

| 耐心 | nàixīn | 文明 | wénmíng |
|---|---|---|---|
| 平常 | píngcháng | 形象 | xíngxiàng |
| 平等 | píngděng | 意外 | yìwài |
| 实际 | shíjì | 主观 | zhǔguān |
| 卫生 | wèishēng | 自由 | zìyóu |
| **丙　级** | | | |
| 保险 | bǎoxiǎn | 极端 | jíduān |
| 典型 | diǎnxíng | 客观 | kèguān |
| 毒 | dú | 迷信 | míxìn |
| 多媒体 | duōméitǐ | 神气 | shénqì |
| 光彩 | guāngcǎi | 体面 | tǐmiàn |
| 规矩 | guīju | 友爱 | yǒu'ài |
| 规则 | guīzé | 正义 | zhèngyì |

## 第三节　动词、形容词兼类

| **甲　级** | | | |
|---|---|---|---|
| 低 | dī | 亮 | liàng |
| 饿 | è | 麻烦 | máfan |
| 方便 | fāngbiàn | 暖和 | nuǎnhuo |
| 丰富 | fēngfù | 破 | pò |
| 负责 | fùzé | 热 | rè |
| 高兴 | gāoxìng | 少 | shǎo |
| 够 | gòu | 通 | tōng |
| 挤 | jǐ | 辛苦 | xīnkǔ |
| 客气 | kèqi | 行 | xíng |
| **乙　级** | | | |
| 成功 | chénggōng | 成熟 | chéngshú |

| 繁荣 | fánróng | 平均 | píngjūn |
| --- | --- | --- | --- |
| 公开 | gōngkāi | 齐 | qí |
| 巩固 | gǒnggù | 清 | qīng |
| 慌 | huāng | 缺乏 | quēfá |
| 活跃 | huóyuè | 热闹 | rènao |
| 激动 | jīdòng | 适用 | shìyòng |
| 集中 | jízhōng | 松 | sōng |
| 坚定 | jiāndìng | 讨厌 | tǎoyàn |
| 进步 | jìnbù | 统一 | tǒngyī |
| 可怜 | kělián | 透 | tòu |
| 肯定 | kěndìng | 突出 | tūchū |
| 烂 | làn | 温暖 | wēnnuǎn |
| 密切 | mìqiè | 小心 | xiǎoxīn |
| 明确 | míngquè | 杂 | zá |
| 难过 | nánguò | 直 | zhí |
| 暖 | nuǎn | 准 | zhǔn |
| **丙 级** | | | |
| 爱国 | àiguó | 恶心 | ěxin |
| 安 | ān | 烦 | fán |
| 安定 | āndìng | 反 | fǎn |
| 保守 | bǎoshǒu | 废 | fèi |
| 便利 | biànlì | 分散 | fēnsàn |
| 不满 | bùmǎn | 富有 | fùyǒu |
| 沉 | chén | 孤立 | gūlì |
| 充实 | chōngshí | 固定 | gùdìng |
| 毒 | dú | 惯 | guàn |
| 端正 | duānzhèng | 横 | héng |

| 缓和 | huǎnhé | 清醒 | qīngxǐng |
|---|---|---|---|
| 昏 | hūn | 散 | sǎn |
| 健全 | jiànquán | 投机 | tóujī |
| 讲究 | jiǎngjiu | 完善 | wánshàn |
| 空 | kòng | 温 | wēn |
| 愣 | lèng | 误 | wù |
| 流行 | liúxíng | 严密 | yánmì |
| 闷 | mēn | 冤枉 | yuānwang |
| 迷信 | míxìn | 忠诚 | zhōngchéng |
| 勉强 | miǎnqiǎng | 壮 | zhuàng |
| 明白 | míngbai | 壮大 | zhuàngdà |
| 平衡 | pínghéng | 总 | zǒng |
| 普及 | pǔjí | | |

# 第五章　数量词

## 第一节　数　词

| 甲级 | | | |
|---|---|---|---|
| 八 | bā | 千 | qiān |
| 百 | bǎi | 三 | sān |
| 半 | bàn | 十 | shí |
| 多 | duō | 四 | sì |
| 二 | èr | 万 | wàn |
| 九 | jiǔ | 五 | wǔ |
| 俩 | liǎ | 一 | yī |
| 两 | liǎng | 一点儿 | yìdiǎnr |
| 零 | líng | 一些 | yìxiē |
| 六 | liù | 亿 | yì |
| 七 | qī | | |
| 乙级 | | | |
| 来 | lái | 一半 | yíbàn |
| 丙级 | | | |
| 大半 | dàbàn | 余 | yú |
| 若干 | ruògān | | |

# 第二节　量　词

## 一、名量词

| 甲　级 | | | |
|---|---|---|---|
| 把 | bǎ | 家 | jiā |
| 班 | bān | 间 | jiān |
| 杯 | bēi | 件 | jiàn |
| 倍 | bèi | 角 | jiǎo |
| 本 | běn | 节 | jié |
| 笔 | bǐ | 斤 | jīn |
| 层 | céng | 句 | jù |
| 场 | chǎng | 棵 | kē |
| 道 | dào | 克 | kè |
| 点 | diǎn | 口 | kǒu |
| 段 | duàn | 块 | kuài |
| 对 | duì | 里 | lǐ |
| 顿 | dùn | 辆 | liàng |
| 分 | fēn | 门 | mén |
| 封 | fēng | 米 | mǐ |
| 个 | gè | 篇 | piān |
| 根 | gēn | 片 | piàn |
| 公斤 | gōngjīn | 瓶 | píng |
| 公里 | gōnglǐ | 声 | shēng |
| 号 | hào | 双 | shuāng |

| 岁 | suì | 元 | yuán |
| --- | --- | --- | --- |
| 条 | tiáo | 张 | zhāng |
| 头 | tóu | 支 | zhī |
| 位 | wèi | 只 | zhī |
| 些 | xiē | 种 | zhǒng |
| 页 | yè | 座 | zuò |
| 乙 级 | | | |
| 包 | bāo | 两 | liǎng |
| 部 | bù | 列 | liè |
| 册 | cè | 面 | miàn |
| 尺 | chǐ | 名 | míng |
| 寸 | cùn | 亩 | mǔ |
| 袋 | dài | 排 | pái |
| 滴 | dī | 盘 | pán |
| 度 | dù | 批 | pī |
| 吨 | dūn | 匹 | pǐ |
| 朵 | duǒ | 期 | qī |
| 份 | fèn | 群 | qún |
| 幅 | fú | 身 | shēn |
| 副 | fù | 首 | shǒu |
| 行 | háng | 所 | suǒ |
| 盒 | hé | 台 | tái |
| 架 | jià | 套 | tào |
| 届 | jiè | 团 | tuán |
| 颗 | kē | 项 | xiàng |
| 类 | lèi | 样 | yàng |
| 厘米 | límǐ | 章 | zhāng |
| 粒 | lì | 丈 | zhàng |

| 株 | zhū | | |
|---|---|---|---|
| 丙　级 | | | |
| 磅 | bàng | 卷 | juǎn |
| 辈 | bèi | 千克 | qiānkè |
| 成 | chéng | 束 | shù |
| 串 | chuàn | 艘 | sōu |
| 顶 | dǐng | 摊 | tān |
| 堆 | duī | 丸 | wán |
| 番 | fān | 箱 | xiāng |
| 公顷 | gōngqǐng | 盏 | zhǎn |
| 股 | gǔ | 枝 | zhī |
| 毫米 | háomǐ | 桩 | zhuāng |
| 伙 | huǒ | 幢 | zhuàng |

## 二、动量词

| 甲　级 | | | |
|---|---|---|---|
| 遍 | biàn | 口 | kǒu |
| 次 | cì | 下 | xià |
| 顿 | dùn | 一下儿 | yíxiàr |
| 回 | huí | | |
| 乙　级 | | | |
| 趟 | tàng | 阵 | zhèn |
| 丙　级 | | | |
| 番 | fān | | |

## 三、时量词

| 甲 级 | | | |
|---|---|---|---|
| 点 | diǎn | 分钟 | fēnzhōng |
| 点钟 | diǎnzhōng | 刻 | kè |
| 分 | fēn | | |
| 乙 级 | | | |
| 秒 | miǎo | | |

# 第六章 代 词

## 第一节 人称代词

| 甲 级 | | | |
|---|---|---|---|
| 别人 | biérén | 他们 | tāmen |
| 大家 | dàjiā | 她 | tā |
| 你 | nǐ | 她们 | tāmen |
| 你们 | nǐmen | 我 | wǒ |
| 您 | nín | 我们 | wǒmen |
| 它 | tā | 咱 | zán |
| 它们 | tāmen | 咱们 | zánmen |
| 他 | tā | 自己 | zìjǐ |
| 乙 级 | | | |
| 大伙儿 | dàhuǒr | 自我 | zìwǒ |
| 丙 级 | | | |
| 本人 | běnrén | 人家 | rénjia |
| 其 | qí | 之 | zhī |

## 第二节 指示代词

| 甲 级 | | | |
|---|---|---|---|
| 别的 | biéde | 各种 | gèzhǒng |
| 各 | gè | 每 | měi |

| 那 | nà | 有的 | yǒude |
|---|---|---|---|
| 那个 | nàge | 有些 | yǒuxiē |
| 那里(那儿) | nàlǐ(nàr) | 这 | zhè |
| 那么 | nàme | 这个 | zhège |
| 那些 | nàxiē | 这里(这儿) | zhèlǐ(zhèr) |
| 那样 | nàyàng | 这么 | zhème |
| 任何 | rènhé | 这些 | zhèxiē |
| 一切 | yíqiè | 这样 | zhèyàng |
| 乙 级 | | | |
| 本 | běn | 其他 | qítā |
| 此 | cǐ | 其它 | qítā |
| 该 | gāi | 其余 | qíyú |
| 某 | mǒu | 这边 | zhèbiān |
| 那边 | nàbiān | | |
| 丙 级 | | | |
| 本身 | běnshēn | 某些 | mǒuxiē |
| 彼此 | bǐcǐ | 如此 | rúcǐ |
| 各自 | gèzì | | |

## 第三节 疑问代词

| 甲 级 | | | |
|---|---|---|---|
| 多少 | duōshao | 谁 | shuí |
| 几 | jǐ | 为什么 | wèishénme |
| 哪 | nǎ | 怎么 | zěnme |
| 哪里(哪儿) | nǎlǐ(nǎr) | 怎么样 | zěnmeyàng |
| 什么 | shénme | 怎样 | zěnyàng |

| 乙　级 | | | |
|---|---|---|---|
| 干吗 | gànmá | 哪些 | nǎxiē |
| 哪个 | nǎge | 如何 | rúhé |

# 第二部分　虚　词

# 第一章　副词的语义分类

## 第一节　时间副词

| 甲　级 | | | |
|---|---|---|---|
| 才 | cái | 先 | xiān |
| 刚 | gāng | 一直 | yìzhí |
| 忽然 | hūrán | 已经 | yǐ jīng |
| 接着 | jiēzhe | 永远 | yǒngyuǎn |
| 就 | jiù | 在 | zài |
| 立刻 | lìkè | 正 | zhèng |
| 马上 | mǎshàng | 正在 | zhèngzài |
| 然后 | ránhòu | | |
| 乙　级 | | | |
| 本 | běn | 将 | jiāng |
| 曾 | céng | 将要 | jiāngyào |
| 曾经 | céngjīng | 立即 | lìjí |
| 从来 | cónglái | 连 | lián |
| 赶紧 | gǎnjǐn | 连忙 | liánmáng |
| 赶快 | gǎnkuài | 陆续 | lùxù |
| 刚刚 | gānggāng | 其次 | qícì |
| 回头 | huítóu | 且 | qiě |
| 急忙 | jímáng | 始终 | shǐzhōng |
| 渐渐 | jiànjiàn | 首先 | shǒuxiān |

| 随时 | suíshí | 直 | zhí |
|---|---|---|---|
| 先后 | xiānhòu | 至今 | zhì jīn |
| 已 | yǐ | 逐渐 | zhújiàn |
| 丙 | | 级 | |
| 顿时 | dùnshí | 向来 | xiànglái |
| 赶忙 | gǎnmáng | 眼看 | yǎnkàn |
| 即将 | jíjiāng | 一向 | yíxiàng |
| 随后 | suíhòu | 预先 | yùxiān |
| 随即 | suíjí | 早晚 | zǎowǎn |
| 现 | xiàn | 早已 | zǎoyǐ |

## 第二节 频率副词

| 甲 | | 级 | |
|---|---|---|---|
| 常 | cháng | 又 | yòu |
| 常常 | chángcháng | 再 | zài |
| 还 | hái | 总(是) | zǒng(shì) |
| 乙 | | 级 | |
| 按时 | ànshí | 反复 | fǎnfù |
| 不断 | búduàn | 老(是) | lǎo(shì) |
| 不住 | búzhù | 每 | měi |
| 重 | chóng | 往往 | wǎngwǎng |
| 重新 | chóngxīn | 有时 | yǒushí |
| 丙 | | 级 | |
| 按期 | ànqī | 净 | jìng |
| 成天 | chéngtiān | 来回 | láihuí |
| 接连 | jiēlián | 偶尔 | ǒu'ěr |

| 时常 | shícháng | 一再 | yízài |
|---|---|---|---|
| 时时 | shíshí | 一连 | yìlián |
| 一下儿 | yíxiàr | 再三 | zàisān |

## 第三节 程度副词

| 甲级 | | | |
|---|---|---|---|
| 比较 | bǐjiào | 很 | hěn |
| 多 | duō | 十分 | shífēn |
| 多么 | duōme | 太 | tài |
| 非常 | fēicháng | 挺 | tǐng |
| 更 | gèng | 尤其 | yóuqí |
| 还 | hái | 又 | yòu |
| 好 | hǎo | 最 | zuì |
| 乙级 | | | |
| 不大 | búdà | 稍 | shāo |
| 更加 | gèngjiā | 稍微 | shāowēi |
| 极 | jí | 有(一)点儿 | yǒu(yì)diǎnr |
| 极其 | jíqí | 重点 | zhòngdiǎn |
| 较 | jiào | | |
| 丙级 | | | |
| 大大 | dàdà | 难以 | nányǐ |
| 大力 | dàlì | 日益 | rìyì |
| 顶 | dǐng | 甚至 | shènzhì |
| 格外 | géwài | 万分 | wànfēn |
| 怪 | guài | 有(一)些 | yǒu(yì)xiē |
| 过 | guò | 足 | zú |

## 第四节 范围副词

| 甲 | 级 | | |
|---|---|---|---|
| 都 | dōu | 一块儿 | yíkuàir |
| 还 | hái | 一起 | yìqǐ |
| 就 | jiù | 又 | yòu |
| 一共 | yígòng | 只 | zhǐ |
| **乙** | **级** | | |
| 单 | dān | 另外 | lìngwài |
| 到处 | dàochù | 一 | yī |
| 凡 | fán | 一道 | yídào |
| 共 | gòng | 一齐 | yìqí |
| 光 | guāng | 一同 | yìtóng |
| 仅 | jǐn | 只是 | zhǐshì |
| 仅仅 | jǐnjǐn | 只有 | zhǐyǒu |
| 另 | lìng | 至少 | zhìshǎo |
| **丙** | **级** | | |
| 处处 | chùchù | 统统 | tǒngtǒng |
| 大都 | dàdū | 专 | zhuān |
| 凡是 | fánshì | 总共 | zǒnggòng |

## 第五节 表示肯定、否定的副词

| 甲 | 级 | | |
|---|---|---|---|
| 必须 | bìxū | 别 | bié |

| 不 | bù | 没 | méi |
|---|---|---|---|
| 不要 | búyào | 没有 | méiyǒu |
| 不用 | búyòng | 一定 | yídìng |
| 乙级 | | | |
| 不必 | búbì | 就是 | jiùshì |
| 的确 | díquè | 未 | wèi |
| 丙级 | | | |
| 甭 | béng | 非 | fēi |
| 必 | bì | 是否 | shìfǒu |
| 必定 | bìdìng | 未必 | wèibì |
| 不曾 | bùcéng | 无法 | wúfǎ |

## 第六节 语气副词

| 甲级 | | | |
|---|---|---|---|
| 还 | hái | 也许 | yěxǔ |
| 还是 | háishì | 真 | zhēn |
| 就 | jiù | 只好 | zhǐhǎo |
| 也 | yě | | |
| 乙级 | | | |
| 白 | bái | 果然 | guǒrán |
| 便 | biàn | 几乎 | jīhū |
| 并 | bìng | 尽管 | jǐnguǎn |
| 大约 | dàyuē | 尽量 | jǐnliàng |
| 到底 | dàodǐ | 究竟 | jiūjìng |
| 倒(是) | dào(shì) | 决 | jué |
| 反正 | fǎnzhèng | 可 | kě |

| | | | |
|---|---|---|---|
| 恐怕 | kǒngpà | 似乎 | sìhū |
| 难道 | nándào | 约 | yuē |
| 怕 | pà | 终于 | zhōngyú |
| 偏 | piān | 自然 | zìrán |
| 千万 | qiānwàn | 最好 | zuìhǎo |
| 却 | què | | |
| 丙 级 | | | |
| 白白 | báibái | 难怪 | nánguài |
| 毕竟 | bìjìng | 偏偏 | piānpiān |
| 不料 | búliào | 其实 | qíshí |
| 不免 | bùmiǎn | 恰好 | qiàhǎo |
| 大半 | dàbàn | 恰恰 | qiàqià |
| 多半 | duōbàn | 万万 | wànwàn |
| 多亏 | duōkuī | 万一 | wànyī |
| 反 | fǎn | 瞎 | xiā |
| 反而 | fǎn'ér | 幸亏 | xìngkuī |
| 何必 | hébì | 依然 | yīrán |
| 简直 | jiǎnzhí | 硬 | yìng |
| 竟 | jìng | 照例 | zhàolì |
| 竟然 | jìngrán | 照样 | zhàoyàng |
| 居然 | jūrán | 真是 | zhēnshì |
| 可巧 | kěqiǎo | 只得 | zhǐdé |
| 明明 | míngmíng | 总算 | zǒngsuàn |

## 第七节 情态副词

| 甲 级 | | | |
|---|---|---|---|
| 互相 | hùxiāng | | |

| 乙　级 | | | |
|---|---|---|---|
| 分别 | fēnbié | 顺便 | shùnbiàn |
| 胡乱 | húluàn | 特此 | tècǐ |
| 悄悄 | qiāoqiāo | 偷偷 | tōutōu |
| 亲自 | qīnzì | 相 | xiāng |
| 仍 | réng | 逐步 | zhúbù |
| 仍然 | réngrán | | |
| 丙　级 | | | |
| 暗暗 | àn'àn | 亲眼 | qīnyǎn |
| 不禁 | bùjīn | 任意 | rènyì |
| 不觉 | bùjué | 仍旧 | réngjiù |
| 当面 | dāng miàn | 随手 | suíshǒu |
| 缓缓 | huǎnhuǎn | 相对 | xiāngduì |
| 猛然 | měngrán | 一一 | yīyī |

# 第二章　连　词

| 甲　级 | | | |
|---|---|---|---|
| 不但 | búdàn | 就 | jiù |
| 不如 | bùrú | 可是 | kěshì |
| 但是 | dànshì | 那 | nà |
| 而且 | érqiě | 那么 | nàme |
| 跟 | gēn | 虽然 | suīrán |
| 还是 | háishì | 所以 | suǒyǐ |
| 和 | hé | 要是 | yàoshi |
| 或者 | huòzhě | 因为 | yīnwèi |
| 接着 | jiēzhe | | |
| 乙　级 | | | |
| 便 | biàn | 而 | ér |
| 并 | bìng | 否则 | fǒuzé |
| 并且 | bìngqiě | 或 | huò |
| 不过 | búguò | 及 | jí |
| 不论 | búlùn | 既 | jì |
| 不管 | bùguǎn | 既然 | jìrán |
| 不仅 | bùjǐn | 尽管 | jǐnguǎn |
| 不然 | bùrán | 看来 | kànlái |
| 此外 | cǐwài | 哪怕 | nǎpà |
| 从此 | cóngcǐ | 且 | qiě |
| 从而 | cóng'ér | 然而 | rán'ér |
| 但 | dàn | 如 | rú |

| 如果 | rúguǒ | 于是 | yúshì |
|---|---|---|---|
| 同 | tóng | 与 | yǔ |
| 同样 | tóngyàng | 则 | zé |
| 无论 | wúlùn | 只是 | zhǐshì |
| 以及 | yǐjí | 只要 | zhǐyào |
| 因此 | yīncǐ | 只有 | zhǐyǒu |
| 因而 | yīn'ér | | |
| **丙　级** | | | |
| 不只 | bùzhǐ | 甚至于 | shènzhìyú |
| 除非 | chúfēi | 省得 | shěngde |
| 固然 | gùrán | 虽 | suī |
| 好 | hǎo | 虽说 | suīshuō |
| 何况 | hékuàng | 倘若 | tǎngruò |
| 即使 | jíshǐ | 要 | yào |
| 假如 | jiǎrú | 要不 | yàobù |
| 假若 | jiǎruò | 要不然 | yàobùrán |
| 假使 | jiǎshǐ | 要不是 | yàobùshì |
| 可见 | kějiàn | 以便 | yǐbiàn |
| 况且 | kuàngqiě | 以至 | yǐzhì |
| 免得 | miǎnde | 以致 | yǐzhì |
| 宁可 | nìngkě | 与其 | yǔqí |
| 若 | ruò | 再说 | zàishuō |
| 甚至 | shènzhì | 总之 | zǒngzhī |

# 第三章 介 词

| 甲 | 级 | | |
|---|---|---|---|
| 把 | bǎ | 叫 | jiào |
| 被 | bèi | 经过 | jīngguò |
| 比 | bǐ | 离 | lí |
| 朝 | cháo | 通过 | tōngguò |
| 从 | cóng | 往 | wǎng |
| 当 | dāng | 为 | wéi |
| 对 | duì | 为 | wèi |
| 给 | gěi | 为了 | wèile |
| 跟 | gēn | 向 | xiàng |
| 和 | hé | 在 | zài |
| 乙 | 级 | | |
| 按 | àn | 替 | tì |
| 按照 | ànzhào | 同 | tóng |
| 趁 | chèn | 沿 | yán |
| 对于 | duìyú | 以 | yǐ |
| 关于 | guānyú | 由 | yóu |
| 将 | jiāng | 由于 | yóuyú |
| 较 | jiào | 于 | yú |
| 就 | jiù | 与 | yǔ |
| 距离 | jùlí | 照 | zhào |
| 靠 | kào | 自 | zì |
| 顺 | shùn | 自从 | zìcóng |
| 随 | suí | 作为 | zuòwéi |

| 丙级 | | | |
|---|---|---|---|
| 冲 | chòng | 据 | jù |
| 除 | chú | 凭 | píng |
| 打 | dǎ | 任 | rèn |
| 等到 | děngdào | 依照 | yīzhào |
| 距 | jù | | |

# 第四章 助 词

| 甲 级 | | | |
|---|---|---|---|
| 啊 | a | 了 | le |
| 吧 | ba | 吗 | ma |
| 的 | de | 嘛 | ma |
| 地 | de | 呐 | na |
| 得 | de | 哪 | na |
| 等 | děng | 呢 | ne |
| 过 | guò | 呀 | ya |
| 啦 | la | 着 | zhe |
| 乙 级 | | | |
| 来 | lái | 哇 | wa |
| 哩 | li | 以来 | yǐlái |
| 所 | suǒ | 左右 | zuǒyòu |
| 丙 级 | | | |
| 般 | bān | 哟 | yo |
| 不可 | bùkě | 之 | zhī |
| 喽 | lou | | |

# 第五章　叹　词

| 甲级 | | | |
|---|---|---|---|
| 啊 | ā | 喂 | wèi |
| 嗯 | ǹg | 呀 | yā |
| 乙级 | | | |
| 哎 | āi | 嘿 | hēi |
| 哎呀 | āiyā | 哼 | hēng |
| 唉 | āi(ài ) | | |
| 丙级 | | | |
| 哎哟 | āiyō | 噢 | ō |
| 咳 | hāi | 哦 | ò |
| 呵 | hē | | |

# 第六章 象声词

| 甲 级 | | | |
|---|---|---|---|
| 哈哈 | hāhā | | |
| 丙 级 | | | |
| 呼呼 | hūhū | 嗡 | wēng |
| 哗哗 | huāhuā | | |

# 第三部分　其　他

第一章：常见结构及词缀

第二章：习用语、成语及四字格

第三章：常用格式及搭配

# 第一章　常见结构及词缀

## 第一节　常见结构

| 甲　级 | | | |
|---|---|---|---|
| ……分之…… | …fēn zhī… | 请问 | qǐng wèn |
| 贵姓 | guì xìng | ……之间 | …zhī jiān |
| 乙　级 | | | |
| 不行 | bù xíng | ……之前 | …zhīqián |
| 从不(没) | cóng bù(méi) | ……之上 | …zhī shàng |
| 进一步 | jìn yí bù | ……之下 | …zhī xià |
| 据说 | jùshuō | ……之一 | …zhī yī |
| ……之后 | …zhīhòu | ……之中 | …zhī zhōng |
| 丙　级 | | | |
| 被迫 | bèi pò | 万岁 | wàn suì |
| 不停 | bù tíng | ……之类 | …zhī lèi |
| 官僚主义 | guānliáo zhǔyì | ……之内 | …zhī nèi |
| 如下 | rú xià | ……之外 | …zhī wài |

## 第二节 词 缀

| 甲 级 | | | |
|---|---|---|---|
| 第(第一)(词头) | dì(dìyī) | 们(朋友们)(词尾) | men (péngyoumen) |
| 家(文学家)(词尾) | jiā(wénxuéjiā) | 小(小李)(词头) | xiǎo (Xiǎo Lǐ) |
| 老(老二)(词头) | lǎo(lǎo'èr) | | |
| 乙 级 | | | |
| 阿(阿哥)(词头) | ā(āgē) | 性(积极性) | xìng(jījíxìng)(词尾) |
| 初(初一)(词头) | chū(chū yī) | 学(社会学)(词尾) | xué(shèhuìxué) |
| 化(标准化)(词尾) | huà (biāozhǔnhuà) | 员(服务员)(词尾) | yuán(fúwùyuán) |
| 丙 级 | | | |
| 长(秘书长)(词尾) | zhǎng(mìshūzhǎng) | 者(爱好者)(词尾) | zhě (àihàozhě) |

# 第二章　习用语、成语及四字格

## 第一节　习用语及近义选项

（注：带 * 部分为补充的习用法）

| 考　点 | 近义选项 | 例　　句 |
|---|---|---|
| 别提了 | 很糟糕/不愿说起 | 那次找工作的经历别提了！ |
| 不得不 | 只好 | 没赶上末班车，不得不打车回家了。 |
| 不敢当 | 惭愧 | 你这么夸我，我实在是不敢当啊。 |
| 不好意思 | 过意不去 | 让您这么大老远跑来我可真不好意思。 |
| 不见得 | 不一定 | 学历高的人不见得能力就强。 |
| 不像话 | 过分 | 用这种态度跟父母说话可真不像话。 |
| 不用说 | 肯定 | 这事不用说，准是老刘的儿子干的。 |
| 不由得 | 自然地 | 听到熟悉的音乐，沈老不由得想起了过去。 |

| | | |
|---|---|---|
| 不在乎 | 不看重 | 我不在乎钱多少，只要有价值就行。 |
| 不怎么样 | 不太好 | 最近我的生活可实在不怎么样。 |
| 出难题 | 为难 | 经理最近总是给我出难题。 |
| 出洋相 | 出丑/丢脸 | 他那天喝醉酒后出了很多洋相。 |
| * 吹了 | 分手了 | 他女朋友早就和他吹了。 |
| 打交道 | 与人交往 | 想解决民工问题首先应该学会跟他们打交道。 |
| 打招呼 | 说/告诉 | 这次出差很急，都没来得及跟家里打个招呼。 |
| * 大吃一惊 | 十分惊讶 | 他俩才认识一星期就要结婚使我们大吃一惊。 |
| 得了 | 算了/否定 | 得了吧，别吹牛了。 |
| 对得起/对不起 | 对得住/对不住 | 努力创作好节目才对得起观众对我的支持。 |
| * 二话没说 | 没有任何反对 | 刘先生二话没说就把钱借给了我。 |
| 感兴趣 | 觉得有意思 | 我对电影明星实在不感兴趣。 |
| 怪不得 | 难怪/我说呢 | 怪不得他不高兴呢，原来是你惹的他。 |

| | | |
|---|---|---|
| 恨不得 | 真想 | 我真恨不得现在就出发。 |
| 开夜车 | 熬夜 | 为了考好，小蔡最近常开夜车复习。 |
| 看不起 | 轻视 | 他有了点儿钱，就开始看不起穷人了。 |
| 看样子 | 看起来 | 看样子部长今天是不会来了。 |
| 可不是 | 是的/没错 | 可不是，是他亲口告诉我的。 |
| 来不及/来得及 | 时间不够/时间够 | 现在去买票还来得及吗？ |
| 了不起 | 伟大/不简单 | 这个看似普通的小伙子其实很了不起。 |
| * 满不在乎 | 不放在心上 | 对大夫让他戒烟的建议他满不在乎。 |
| 没底儿 | 没信心 | 没怎么准备，能否考上我可真没底儿。 |
| 没什么 | 很一般、不重要 | 帮个小忙没什么的，别那么客气。 |
| 没事儿 | 不严重/不要紧 | 你的伤口怎么样？没事儿了吧？ |
| 没说的 | 绝对(好)/没问题 | 这小伙子的品质实在是没说的。 |
| 没用 | 笨/无效 | 这事都办不好，真没用。/跟他说了，没用。 |

| | | |
|---|---|---|
| 拿……来说 | 譬如 | 拿我来说吧，我就不喜欢数学。 |
| *拿不出手 | 太小气 | 这么轻的礼物可太拿不出手了。 |
| 哪知道 | 没想到 | 以为他很快会来，哪知道都6点了还没消息。 |
| *闹了半天 | 原来 | 闹了半天你们早就认识啊！ |
| 闹笑话 | 出错、惹人笑 | 他不懂足球却喜欢侃球，所以总是闹笑话。 |
| 闹着玩儿 | 开玩笑 | 别生气，不是真的，是跟你闹着玩儿的。 |
| 碰钉子 | 遭拒绝 | 昨天在她面前碰了个大钉子。 |
| 忍不住 | 控制不住 | 小何忍不住把爸爸生病的消息告诉了妻子。 |
| 伤脑筋 | 烦恼 | 为了孩子上学的事情，小姜伤透了脑筋。 |
| 舍得/舍不得 | 不心疼/心疼 | 这么贵，他哪儿舍得给我买呀！ |
| *数一数二 | 最突出的 | 小佳做衣服的手艺在这里可是数一数二的。 |
| 说不定 | 没准儿 | 说不定什么时候她就向你表白了。 |
| *说三道四 | 议论别人 | 谁也不喜欢在背后对别人说三道四的人。 |

| | | |
|---|---|---|
| 说实话 | 说真的 | 说实话，我确实不想继续在这里工作。 |
| 算了 | 放弃 | 要是太麻烦的话就算了。 |
| 无所谓 | 没关系/谈不上 | 过程如何无所谓，结果好就行。 |
| *向……伸手 | 跟……要钱 | 大学毕业后我就没有再向父母伸过手。 |
| 一口气 | 连续不停歇 | 他一口气跑到了十八层。 |
| 用不着/用得着 | 不需要/需要 | 没那么严重，用不着去医院。 |
| 有的是 | 很多 | 我们单位没结婚的女孩子有的是。 |
| 有劲/没劲 | 有意思/没意思 | 这片子可真没劲！ |
| 有两下子 | 有本事 | 马俊仁教练就是有两下子，徒弟个个优秀。 |
| 越来越 | 日益 | 最近天气越来越暖和了。 |
| 这样一来 | 这样的话 | 这样一来，妻子的病让他的负担更重了。 |
| 走后门 | 托关系 | 他不想靠实力，总想着走后门。 |
| 走弯路 | 做无效劳动 | 因为没经验，开始时走了不少弯路。 |

# 第二节 成语与四字格

| 考 点 | 释 义 | 例 句 |
| --- | --- | --- |
| 成千上万 | 形容数量非常多。 | 每天首都机场都有成千上万的外国人进入北京。 |
| 粗心大意 | 形容不细心、马虎。 | 在银行工作最重要的就是不能粗心大意。 |
| 各式各样 | 有很多不同的种类。 | 桌子上摆满了各式各样的礼品。 |
| 画蛇添足 | 比喻做了多余的、不恰当的、无用的事。 | 手机有些功能纯属画蛇添足,很不实用。 |
| 或多或少 | 不论多少总…… | 你或多或少总得出点儿钱吧? |
| 聚精会神 | 形容精神或注意力十分集中,专心。 | 大家聚精会神地观看表演。 |
| 能歌善舞 | 既会唱歌也能跳舞,比喻人有多方面的才能和技艺。 | 小张能歌善舞,就请她来为我们表演一个吧! |
| 千方百计 | 比喻想尽办法、全力做某事。 | 他千方百计提高自己的汉语水平。 |

| 实事求是 | 比喻从实际情况出发，不夸大也不缩小事实。 | 我是实事求是，我确实看到了。 |
|---|---|---|
| 四面八方 | 指周围各地或各个方面。 | 听到消息后，人们从四面八方赶来。 |
| 万古长青 | 永远像春天的草木一样蓬勃发展。 | 祝我们的事业万古长青！ |
| 无可奈何 | 没有办法；没有办法可想。 | 面对迷恋网络游戏的儿子，他显得无可奈何。 |
| 无论如何 | 连词，表示不管怎么样。 | 无论如何也得请他来一趟。 |
| 兴高采烈 | 形容十分高兴。 | 巴西球员兴高采烈地捧回了冠军奖杯。 |
| 一路顺风/一路平安 | 送别时表示祝福的话。 | 祝各位一路顺风！ |
| 自始至终 | 表示从开始到最后。 | 开会时他自始至终都没有说一句话。 |
| 自相矛盾 | 比喻说话或做事前后相抵触。 | 你说的理由自相矛盾，让我们怎么相信你？ |
| 自言自语 | 自己对自己说。 | 他一个人在那儿自言自语了半天。 |
| 总而言之 | 相当于“总之”，引出概括性的结论。 | 总而言之，我是不相信你的话的。 |

# 第三章　常用格式及搭配

（注：带 * 部分为补充格式）

| 考　点 | 释　义 | 例　句 |
| --- | --- | --- |
| ……不是吗 | 反问句，表示肯定。 | 小王说的，不是吗？（是小王说的） |
| ……得很 | 在句中做程度补语，表示程度高。 | 快得很，要不了一个小时。 |
| ……的话（助词） | 用在假设句的末尾，表示假设。 | 有事的话，你就打我的手机。 |
| ……极了 | 在句中做程度补语，表示程度高。 | 他听了之后高兴极了。 |
| ……似的（助词） | 表示比拟，相当于“好像……一样”。 | 你干吗板着脸？跟谁得罪了你似的。 |
| 边……边…… | 两个动作同时发生。 | 他边走边吃。 |
| 别说（连词） | 贬低某事物的重要性，而突出另一事物的重要性。 | 别说这点儿小事，就是再大的困难我也能帮你。 |

| | | |
|---|---|---|
| * 别提多……了 | 强调程度高。 | 那件事别提多可笑了！ |
| 不得了（形容词） | 1. 表示情况严重。 | 不得了了，两个人打起来了。 |
| | 2. 通常做程度补语，表示程度高。 | 这两个人好得不得了。 |
| 不是……而是…… | 否定前者，肯定后者。 | 不是我干的，而是老李干的。 |
| 不是……就是…… | 表示两者之中必居其一。 | 反正不是玩游戏就是睡觉。 |
| * 不知……好 | 表示事情发生时想不出好办法或一时拿不定主意。 | 他激动得都不知说什么好了。 |
| 差点儿（副词） | 表示非常接近，几乎实现而没有实现，或几乎不能实现而终于实现。 | 差点儿没买到。（买到了）<br>差点儿就买到了。（没买到） |
| 除了……以外 | 表示在前面所说的之外还有别的。 | 除了做饭、洗衣服之外，还要带孩子。 |
| 从……出发 | 表示出发的起点。 | 从这儿出发，一个小时到那儿。 |

| | | |
|---|---|---|
| 从……到…… | 表示时间、路线、范围、变化的起点和终点。 | 从古到今，都流传着这样一种说法。 |
| 从……起 | 表示从哪儿开始。 | 从今天起，我要努力学习。 |
| 当……时候 | 表示事件发生的时间。 | 当我回来的时候，他已经睡着了。 |
| 到……为止 | 表示截止到某一时间。 | 到目前为止，报名的人数已超过了一千。 |
| 对……来说 | 表示从某人、某事的角度看，也说“对……说来”。 | 对学生来说，这个价格太高了。 |
| 对了 | 表示突然想起某个话题。 | 对了，忘了还你书了。 |
| 非……不可 | 表示“一定要”。 | 我不信，我非当面问问他不可。 |
| *跟/和……过不去 | 故意找某人的麻烦。 | 我的同屋整天和我过不去。 |
| 毫不/毫无 | 表示一点儿也没有。 | 他对这些毫不感兴趣（毫无兴趣）。 |
| 好容易（副词） | 表示不容易，很难，也说“好不容易”。 | 找了半天，好容易才找到了。 |
| 既……也…… | 表示不止一方面，后面是进一步的补充说明。 | 既要及时发现他的优点，也要指出他的缺点。 |

| | | |
|---|---|---|
| 既……又…… | 表示两方面同时具备。 | 这衣服既好看又便宜。 |
| 就是……也…… | 前面表示假设,后面表示结果或结论不会改变。 | 说吧,就是说错了也没关系。 |
| *就是了 | 表示不用犹豫、不用怀疑。 | 总之,你别告诉他就是了。 |
| 就是说 | 对前面的话进行解释说明。前面可加"这、那、也"。 | 他不同意,也就是说他不会出钱给我们了? |
| 连……都/也…… | 表示强调。 | 这道理连三岁的孩子都明白。 |
| 甚至于(连词) | 1. 放在并列项的最后一项之前,突出这一项。 | 在城市、在农村,甚至于在偏远的山区,都可以看到他们公司的广告。 |
| | 2. 用于"不但……甚至(于)……",递进关系,表示强调。 | 这里不但大人,甚至于六、七岁的孩子都会游泳。 |
| 什么的(代词) | 表示列举,相当于"这一类的(东西)""等等"。 | 你去买点儿面包、饮料什么的。 |

| *为……所…… | 表示被动意义。 | 我们都为他的精神所感动。 |
| --- | --- | --- |
| 一……就…… | 1. 前后动词不同，表示一种情况或动作出现后紧接着发生另一种情况或动作。 | 他一有空儿就往我这儿跑。 |
| | 2. 前后动词相同，表示动作一经发生就达到某种程度，或有某种结果。 | 我们在西安一住就住了十年。 |
| 一……也…… | 前面隐含了“连”字，表示“连……也……”，用于否定。 | 刚来的时候，他（连）一句汉语也不会说。 |
| 一边……一边……/一面……一面…… | 表示两种以上动作同时进行。 | 他一边说着话，一边看着电视。<br>一面走，一面高喊着口号。 |
| 一方面……一方面…… | 连接两种相互关联的事物或一个事物的两个方面。 | 一方面要增加生产，一方面要节约能源。 |

| | | |
|---|---|---|
| 一下子（副词） | 表示很短的时间内。 | 路太滑，他一下子摔倒了。 |
| 意味着（动词） | 意思是含有某种意义，相当于“代表着、等同于”。 | 有了钱并不意味着有了幸福。 |
| * 应……邀请 | 表示“接受……的邀请”的意思。 | 应主办方邀请，他在会上做了演讲。 |
| * 由……组成 | 解释说明事物的构成。 | 这个顾问委员会是由一些老专家组成的。 |
| 有时候 | 有的时候，不是经常发生的。 | 我有时候觉得她就像是我的母亲。 |
| 越……越……/愈……愈…… | 表示程度随时间的推移而增加。 | 天气越来越热。<br>他的声音愈来愈大。 |
| * 在……看来 | 引出持有某种态度或观点的人。 | 在我看来，他这样做是有目的的。 |
| 至于（介词、动词） | 1. 动词，表示发展到某种程度。常用否定式。 | 一点儿小事，你至于那么生气吗？不至于吧？ |
| | 2. 介词，引进另一话题。 | 这只是我的想法，至于对不对，请大家考虑。 |

# 第四部分

# 60 组核心词及常见组合辨析

## 1. 保持、维持、坚持、维护

| 词／组合 | 常见组合／例证 | 词性 | 词语辨析 |
|---|---|---|---|
| 保持 | ～联系　～习惯<br>～风格　～作风 | 动词 | 表示使原有的情况继续下去，不发生改变。 |
| 维持 | ～生活　～秩序<br>～关系　～现状 | 动词 | 表示尽力使现有的状况不再变坏。<br>“维持”需要动作的发出者尽全力，含有比较勉强、被动的意思；“保持”则不需要这么费劲，并带有主动性。 |
| 坚持 | ～原则　～观点<br>～立场　～下去 | 动词 | 表示在困难的条件下，仍不改变自己的习惯、观点、立场，有积极的含义。语义比“保持”重。 |
| 维护 | ～尊严　～权益<br>～和平　～形象 | 动词 | 表示维持并且保护（和平等）抽象的、严肃的事物不被破坏。 |

## 2. 保证、保障、保险、保卫

| 词／组合 | 常见组合／例证 | 词性 | 词语辨析 |
| --- | --- | --- | --- |
| 保证 | ～质量　～完成 | 动词 | 表示一定负责做好某事或者承诺既定的要求和标准不打折扣。 |
| | 基本～　可靠～ | 名词 | 表示使事物安全顺利的条件或作为担保的事物。 |
| 保障 | ～权利　～生命<br>～安全　～自由 | 动词 | 表示提供条件或安全，使不受侵犯和破坏。书面语。宾语多为抽象事物。 |
| | 安全～　生命～ | 名词 | 表示保护人或者事物存在的基本条件。 |
| 保险 | 非常～　～柜 | 形容词 | 表示安全可靠、不会出问题。 |
| | 医疗～　人身～<br>～公司 | 名词 | 表示财产、生命等受到损害后得到的赔偿。 |

| | | | |
|---|---|---|---|
| 保卫 | ～祖国　～领土<br>～家乡　～和平 | 动词 | 表示保护安全使不受侵犯。书面语。宾语通常是较大的、较重要的事物。 |
| | ～部门　～工作 | 名词 | 从事保护安全工作的人或部门。 |

## 3. 竟然、果然、突然、既然

| 词 / 组合 | 常见组合 / 例证 | 词 性 | 词 语 辨 析 |
|---|---|---|---|
| 竟然 | 没想到这么重要的会议他～不来! | 副词 | 表示没想到,出乎意料之外。 |
| 果然 | 他～像我所预料的,不愿参加这个会议。 | 副词 | 表示事实与所说或所预料的一样。 |
| 突然 | 事情发生得太～了。<br>～来了个急刹车。 | 形容词 | 表示事情或情况在很短的时间内发生,出乎意料。 |
| 既然 | ～你不愿意,那就算了。 | 连词 | 通常构成"既然……就/那么……",表示因果关系,前一小句提出已成为现实或已肯定的前提,后一小句根据这个前提推出结论。 |

## 4. 刚、刚刚、以前、刚才

| 词／组合 | 常见组合／例证 | 词性 | 词语辨析 |
|---|---|---|---|
| 刚 | ～走　～回来 | 副词 | 用于主语后面，动词前面，做状语。表示发生在不久前，相当于"才"。 |
| | ～合适　～够 | | 表示时间、空间、程度、数量正好在那一点上，相当于"恰好"。 |
| | ～六点<br>～十块钱 | | 表示勉强达到某种程度，相当于"仅仅"。修饰数量词时，"刚"强调数量少。 |
| 刚刚 | ～去过　～走了 | 副词 | 表示发生在不久前。同"刚"的第一个用法。 |
| | ～一杯　～吃完 | | 表示恰好。修饰数量词时，"刚刚"强调正好，不多不少，与"刚"略有差异。 |

| | | | |
|---|---|---|---|
| 以前 | 十点～　不久～<br>很早～　～的家 | 名词 | 表示比现在或所说的时间更早的时间。用在主语前或主语后，可做定语或状语。 |
| 刚才 | ～有人找你<br>～的事情 | 名词 | 表示刚过去不久的时间，比“以前”距离现在近。用在主语前或主语后，可做定语或状语。 |

**5. 以及、以后、以上、以外**

| 词／组合 | 常见组合／例证 | 词性 | 词语辨析 |
|---|---|---|---|
| 以及 | 北京、上海、天津～重庆，都是大城市。 | 连词 | 表示联合关系，连接并列的名词、动词、介词短语、小句，所连接的成分有主次的分别，常以前边的为主。 |
| 以后 | 丢了工作，～的生活该怎么办？ | 名词 | 表示现在或所说的某一时间之后的时间。用在主语前或主语后，可做定语或状语。 |

| | | | |
|---|---|---|---|
| **以上** | 这一车起码在1 000斤～。 | 名词 | 表示位置、次序或数目等在某一点之上，高出某一标准。常位于数量短语之后。 |
| **以外** | 三环路～四环路以内的地区交通最方便。 | 名词 | 表示在一定的时间、处所、数量、范围的界限之外。 |

## 6. 占有、具备、具有、拥有

| 词／组合 | 常见组合／例证 | 词性 | 词语辨析 |
|---|---|---|---|
| **占有** | ～土地　～资源 | 动词 | 表示占据。 |
| | ～重要地位<br>～优势 | | 表示处在某种地位。 |
| | ～资料　～证据<br>～主动 | | 表示掌握，强调所有权，即拥有的人有绝对的支配权利。 |
| **具备** | ～条件　～素质 | 动词 | 表示条件、能力、素质等已经达到了标准，包含“齐备”的意味。宾语一般是抽象名词。 |

| | | | |
|---|---|---|---|
| **具有** | ～重大意义<br>～很高的价值 | 动词 | 指有意义、水平、价值、作用、风格等，表示客观存在。宾语一般是抽象名词。 |
| **拥有** | ～财富　～地位<br>～权力　～未来 | 动词 | 指有（人口、财产、权力）等，表示领属。宾语可以是具体名词或抽象名词，一般是抽象名词。 |

**7. 严重、严厉、严肃、严格、严密**

| 词／组合 | 常见组合／例证 | 词 性 | 词 语 辨 析 |
|---|---|---|---|
| **严重** | ～的后果<br>～失误<br>～影响　～伤害 | 形容词 | 表示不好的事情程度深、影响大或情况危急。 |
| **严厉** | ～的目光<br>～的口吻<br>～地批评<br>～地追问 | 形容词 | 严肃而厉害。表示语言、目光、手段等既让人尊敬又让人感到害怕。 |

| 严肃 | ～的场面<br>神情～ | 形容词 | 表示表情、态度、语气或环境、气氛太正式，让人尊敬甚至害怕。 |
| --- | --- | --- | --- |
| | ～对待 ～处理 | | 严格认真。指非常认真地对待某事。 |
| 严格 | ～执行 ～遵守<br>～要求 ～训练 | 形容词 | 表示在遵守制度方面或掌握标准时认真、不放松。 |
| 严密 | 结构～ 组织～ | 形容词 | 表示事物、组织之间结合得很紧。 |
| | ～监视 防范～ | | 表示各个方面都考虑到了，周到。 |

## 8. 规则、规矩、规律、规定

| 词／组合 | 常见组合／例证 | 词性 | 词语辨析 |
| --- | --- | --- | --- |
| 规则 | 交通～ 游戏～ | 名词 | 表示大家共同遵守的制度、标准。 |
| | 形状不～<br>～四边形 | 形容词 | 表示形状、分布、结构整齐，符合一定的方式。 |

| | | | |
|---|---|---|---|
| 规矩 | 老～　立个～<br>懂～　按～办事<br>守～ | 名词 | 表示人际交往中的标准、法则或习惯。 |
| | 很～　不～<br>～人 | 形容词 | 表示（行为）端正、合乎标准或者常理。 |
| 规律 | 自然～　经济～ | 名词 | 表示事物之间内在的必然联系。 |
| | 生活不～ | 形容词 | 表示相对固定的、经常重复出现的事物、法则。 |
| 规定 | 新～　违反～ | 名词 | 表示应遵守的行动准则。 |
| | 学校～上课不能接电话。<br>～了范围 | 动词 | 表示对某一事物在数量、质量、方法等方面提出要求。 |

## 9. 制定、制订、制造、制作

| 词／组合 | 常见组合／例证 | 词性 | 词语辨析 |
|---|---|---|---|
| 制定 | ～法律　～措施<br>～方针　～条例 | 动词 | 表示定出，侧重于确定。多用于书面语。 |

<table>
<tr><td>制订</td><td>~游戏规则<br>~计划<br>~合同</td><td>动词</td><td>表示创制拟订，侧重于拟订，就是没有最后决定，制订的内容可以修改。多用于书面语。</td></tr>
<tr><td rowspan="2">制造</td><td>~机器 ~工具</td><td rowspan="2">动词</td><td>表示把原料变成可以使用的物品，一般指较大的、较复杂的东西。</td></tr>
<tr><td>~矛盾<br>~紧张气氛</td><td>表示人为地创造某种气氛、局面或矛盾等，一般是抽象事物。</td></tr>
<tr><td>制作</td><td>手工~ ~家具<br>精心~ ~卡片</td><td>动词</td><td>多用来表示用手工造出较简单的、较小的、具体的物品。多用于书面语。</td></tr>
</table>

## 10. 创造、创立、创作、创办

| 词／组合 | 常见组合／例证 | 词性 | 词语辨析 |
| --- | --- | --- | --- |
| 创造 | ～理论　～价值<br>～奇迹　～条件 | 动词 | 指第一个想出新办法、制造出新东西、建立新理论，是从无到有的过程。 |
| 创立 | ～学派　～组织<br>～政权　～学校 | 动词 | 表示第一次建立。宾语多为表示较正式的、较重大的事物、机构等的名词。 |
| 创作 | ～作品　～一幅画 | 动词 | 指创造文艺作品。 |
| | ～手法　艺术～<br>～体会　～经验 | 名词 | 指文艺作品。 |
| 创办 | ～报纸　～医院<br>～杂志　～公司 | 动词 | 表示从无到有地建立并且经营管理。宾语多为具商业性质的具体事物。 |

## 11. 增加、增进、增强、增长、增添

| 词/组合 | 常见组合/例证 | 词性 | 词语辨析 |
|---|---|---|---|
| 增加 | ～人员　～设备<br>～工资　～投资 | 动词 | 表示在原有的基础上加多。宾语常是具体事物，能带动词宾语。使用范围较广。 |
| 增进 | ～友谊　～了解<br>～团结　～认识 | 动词 | 表示增加并且促进。宾语多为抽象名词，有程度加深、进展加快的意思。 |
| 增强 | 大大～　～实力<br>～信心　～体质 | 动词 | 表示增进，程度上加强。宾语多为抽象名词。 |
| 增长 | ～见识　速度～<br>～才干　～本领 | 动词 | 表示数量上增加或程度提高。宾语常是抽象事物，多与数量有关。不能带动词宾语。 |

| | | | |
|---|---|---|---|
| 增添 | ～乐趣 ～麻烦<br>～花样 ～家具 | 动词 | 表示在原有数量的基础上加多，侧重于添补，一般量比较少。适用范围较窄。不和“消费、开支、收入、面积、体重”等词一起用。 |

**12. 提高、上升、增强、增加**

| 词 / 组合 | 常见组合 / 例证 | 词 性 | 词 语 辨 析 |
|---|---|---|---|
| 提高 | ～效率 ～技术<br>～能力 ～素质 | 动词 | 表示通过努力或一定的方法使水平、质量等方面比原来高。可带宾语，宾语一般是抽象名词。 |
| 上升 | 气球～ 炊烟～<br>水位稳步～ | 动词 | 表示从低处往高处移动。 |
| | ～为局级干部<br>气温～<br>产量大幅度～ | | 表示等级、地位、数量等升高、增加。不能带宾语，后面可以跟补语“为＋名词或数量短语”。 |

| | | | |
|---|---|---|---|
| 增强 | ～耐力 ～体质<br>大大～ 有所～ | 动词 | 表示增进，程度上加强。宾语多为抽象名词。 |
| 增加 | ～人数 ～收入<br>～产量 ～品种 | 动词 | 强调在原有的基础上加多。宾语常是具体事物，能带动词宾语。 |

13. 接受、受到、收到、接到

| 词／组合 | 常见组合／例证 | 词性 | 词语辨析 |
|---|---|---|---|
| 接受 | ～邀请 ～建议<br>～考验 ～礼品 | 动词 | 表示主动对事物容纳、承受而不拒绝。宾语多为抽象名词，也可以是具体名词，适用范围较广。 |
| 受到 | ～批评 ～表扬<br>～损失 ～惊吓 | 动词 | 表示被动接受事物，可以是好的也可以是不好的。宾语多为抽象名词。 |

| | | | |
|---|---|---|---|
| 收到 | ～礼物 ～来信<br>～信号 ～效果 | 动词 | 表示接收到了别人邮寄或者递送过来的东西。宾语多为具体名词。 |
| 接到 | ～通知 ～电话<br>～命令 ～任务 | 动词 | 表示接收到了别人递送过来的信息。常是由上级向下级传达的信息或指示。宾语多为抽象名词。 |

## 14. 另外、不仅、何况、况且、难道

| 词／组合 | 常见组合／例证 | 词性 | 词语辨析 |
|---|---|---|---|
| 另外 | 我打算去超市买咖啡，～再买点儿牛肉。 | 副词 | 表示所说范围外的人或事物，也指交谈双方已知的人或事物以外的人或事物。 |
| | ～，我还要提醒你，要注意身体。 | 连词 | 用在句首，用逗号隔开，表示补充意见或开始一个新话题。 |

| | | | |
|---|---|---|---|
| 不仅 | 她～喜欢唱歌，而且唱得相当好。 | 连词 | 用在递进复句的上半句里，下半句里通常有“而且、并且、也、还”等呼应。表示更进一层。 |
| 何况 | 已经这么晚了，～明天还有考试，咱们就别去喝酒了。 | 连词 | 表示进一步申述或追加理由。 |
| | 年青人都受不了，～老年人呢？ | | 用在反问句中表示更进一步，有前后对比的意思。 |
| 况且 | 这个MP3质量很不错，～也不贵，买吧。 | 连词 | 表示进一步说明或追加理由。常和“也、又、还”连用。 |
| 难道 | 时光～会倒流吗？ | 副词 | 用于反问句中，加强反问语气。 |

## 15. 报道、报到、报告、汇报

| 词／组合 | 常见组合／例证 | 词性 | 词语辨析 |
|---|---|---|---|
| 报道 | 及时～　～消息 | 动词 | 表示通过广播、报纸、电视等向大众介绍人或事。 |
| | 新闻～　这则～ | 名词 | 表示用于媒体介绍的新闻文章。 |

| | | | |
|---|---|---|---|
| 报到 | 新生～ 正式～ | 动词 | 表示通过一定的手续告知即将进入学习或者工作的相关部门自己已经到了。后面不接宾语。 |
| | ～时间 ～处 | 名词 | 指办理进入该部门的相关手续这件事。 |
| 报告 | ～首长<br>向……～ | 动词 | 表示把情况或意见反映给有关部门或领导。常常用于下级对上级。 |
| | 作～ 商业～<br>关于……的～ | 名词 | 表达这些情况或意见的书面文章或者口头陈述。 |
| 汇报 | ～情况 ～思想<br>～工作 | 动词 | 表示把各方面的情况综合起来一起向上级或公众报告。 |
| | 作～<br>光听～不行 | 名词 | 表示用口头或书面形式向上级或公众所作的报告。 |

## 16. 陆续、连续、持续、继续

| 词／组合 | 常见组合／例证 | 词 性 | 词 语 辨 析 |
|---|---|---|---|
| 陆续 | ～离开 ～出来<br>～开放 ～发表 | 副词 | 表示动作行为或情况有时停止有时继续。有重叠形式“陆陆续续”。一般用在动词前做状语。 |
| 连续 | ～运行 ～下雨<br>～不断 ～性 | 副词 | 表示事件或动作行为一个接一个，没有间断。可以是同一事件也可以是不同的事件。一般用在动词前做状语。 |
| 持续 | ～增长 ～讨论<br>～下降 ～升高 | 动词 | 表示一个动作行为或一种情况在一段时间内一直没有中断。后面一般接动词宾语或时间补语。 |
| 继续 | ～工作 ～前进<br>～努力 ～研究 | 动词 | 表示动作行为不停下来或者停下来后再开始。 |

## 17. 爱护、保护、爱惜、珍惜

| 词/组合 | 常见组合/例证 | 词性 | 词语辨析 |
| --- | --- | --- | --- |
| 爱护 | ～孩子　～公物<br>～家人　～宠物 | 动词 | 表示尽力照顾并且不使某人或事物受到伤害，偏重于“护”。常用于上级对下级、长辈对晚辈。 |
| 保护 | ～环境　～身体<br>～眼睛　～现场 | 动词 | 表示尽力不使某人或者事物受到伤害。目的性强于“爱护”，使用范围更大。 |
| 爱惜 | ～人才　～粮食<br>～光阴　～书籍 | 动词 | 表示因为喜爱而重视，所以努力不浪费或者不破坏。偏重于“惜”。 |
| 珍惜 | ～生命　～时间<br>～感情　～机会 | 动词 | 表示对很重要或者很不容易得到的人或事物极端爱惜。比“爱惜”程度更深。 |

## 18. 恐怕、害怕、可怕、哪怕

| 词／组合 | 常见组合／例证 | 词 性 | 词 语 辨 析 |
|---|---|---|---|
| **恐怕** | ～来不了 ～不行<br>～要下雨了 | 副词 | 表示估计、判断，相当于“可能、也许”。 |
| **害怕** | 很～ ～吃药<br>～狗 ～打针 | 动词 | 表示在困难或者危险面前心里发慌、情绪不安、感到恐惧。多用于口语。 |
| **可怕** | 样子～ 声音～<br>十分～ ～的记忆 | 形容词 | 表示令人感到害怕的。 |
| **哪怕** | 老两口生活很节俭，～是过年也不肯给自己买点儿好吃的。 | 连词 | 常构成“哪怕……也……”，同时表示假设、让步两种意义，相当于“即使……也……”。表示在极端的情况下也不例外。 |

## 19. 相反、反对、反面、反之

| 词 / 组合 | 常见组合 / 例证 | 词性 | 词语辨析 |
|---|---|---|---|
| 相反 | 恰恰～<br>～的观点<br>～的立场 | 形容词 | 表示事物的两方面互相矛盾、互相排斥。 |
| | 他不但不支持，～，还给我们出难题。 | | 用在下文的句子开头或者句中。表示跟上文所说的意思相对立。 |
| 反对 | 强烈～<br>～这么做<br>～他的意见<br>～吸烟 | 动词 | 表示不同意、不赞成(某种观点、意见、行为等)。可单独做谓语，也可带小句宾语。 |
| 反面 | 纸的～<br>问题的～ | 名词 | 表示在物体上、立场上跟正面相反的一面。 |
| | ～角色　～人物<br>～作用　～教材 | 形容词 | 表示事物坏的、消极的、有问题的一面。 |

| 反之 | 努力总会有收获的，～，懒惰的话什么都做不成。 | 连词 | 连接两个分句或句子，表示从相反的角度来论证，相当于“反过来说”。书面语词，与连接的前、后句之间都有停顿，书面上用逗号隔开。 |
|---|---|---|---|

## 20. 感觉、感受、觉得、感想

| 词／组合 | 常见组合／例证 | 词性 | 词语辨析 |
|---|---|---|---|
| 感觉 | 冷的～　疼的～ | 名词 | 表示身体或心理对外界事物的认识或体验。 |
| | ～心烦　～很累 | 动词 | 表示认识或体验外界事物。宾语是具体事物或抽象事物，后面可带“到”。 |
| | ～很难办<br>～不对头 | | 表示“认为”。后面常连接句子宾语。 |

| 感受 | ～到集体的关怀<br>深深地～到了<br>～一下他的痛苦 | 动词 | 表示主动接触或体会外界事物，并在心理上受到影响。宾语常常是抽象事物，后面可带“到”或“一下”。 |
| --- | --- | --- | --- |
| | 强烈的～<br>生活～ | 名词 | 表示主动接触外界事物后得到的心理体会，身体或内心受到的影响或触动。 |
| 觉得 | ～有点儿冷<br>～我是对的<br>～疲惫 | 动词 | 表示身体或心理对外界事物的认识或体验，强调主观意识。后面不带“到”，多带句子宾语。 |
| | 我～应该告诉他。<br>～教书挺有意思的。 | | 用于表达观点，表示“认为”，比“感觉”所表达的观点更清楚、更主观。 |
| 感想 | 谈谈～<br>有一些～<br>～很深 | 名词 | 表示接触人或者事以后产生的内心体验和想法。 |

## 21. 反响、反映、反应、反射

| 词/组合 | 常见组合/例证 | 词性 | 词语辨析 |
| --- | --- | --- | --- |
| 反响 | 产生～　～强烈<br>～很大　～不一 | 名词 | 表示一种现象、思想或一个事件在一定范围内受到人们的关注、议论,产生了强烈的回应或影响。 |
| 反映 | ～现实情况<br>～生活 | 动词 | 表示把事物的实质表现出来。 |
| | 把情况～到县里<br>～给有关部门 | | 表示把情况或意见告诉上级或有关部门。有重叠式“反映反映”。 |
| | 客观～<br>群众有～ | 名词 | 指事物的某种表现,也指所反映的意见。 |
| 反应 | 过敏～　不良～ | 名词 | 表示身体针对外界刺激产生的情况或状态。 |
| | ～很大　～良好 | | 表示事物或行为引起的意见、态度或行动。语义比“反响”轻。 |
| | 没有～过来<br>～太慢 | 动词 | 表示对外界刺激及时理解并作出回应。不能重叠。 |

| | | | |
|---|---|---|---|
| 反射 | 声波～　光的～ | 动词 | 表示声波或光波在传播过程中遇到障碍而返回。 |
| | 条件～<br>非条件～ | | 人或动物对刺激所产生的规律性反应，又称“条件反射”。 |

## 22. 慌忙、急忙、匆忙、赶忙、连忙

| 词／组合 | 常见组合／例证 | 词性 | 词语辨析 |
|---|---|---|---|
| 慌忙 | ～收拾　～离开<br>～跑掉<br>～藏起来 | 形容词 | 形容人在紧急情况下不镇静，动作忙乱。一般不和“很、太、非常”一起用。有时有贬义。 |
| 急忙 | ～洗手做饭<br>～打电话给他 | 形容词 | 表示心里着急而加快动作。语义比“慌忙”轻。不能做谓语。中性词。有重叠形式“急急忙忙”。 |

| | | | |
|---|---|---|---|
| 匆忙 | 太～　～离开<br>走得～<br>～穿上衣服 | 形容词 | 表示因为时间不够而引起的行动速度快，忙乱，来不及仔细考虑。“匆忙”没有“不镇静”的意思。可以和“很、太、非常”一起用。 |
| 赶忙 | ～去开门<br>～去看<br>～过去<br>～去医院 | 副词 | 表示动作快。没有“不镇静”或“着急”的意思。后面常常有动词“去”。 |
| 连忙 | ～过来　～赶去<br>～站起来<br>～跑来 | 副词 | 表示主动抓紧时间加快行动速度。没有“着急”的意思。 |

## 23. 满意、得意、满足、自满

| 词／组合 | 常见组合／例证 | 词性 | 词语辨析 |
|---|---|---|---|
| 满意 | 十分～　挺～的<br>对学习环境很～ | 形容词 | 表示外界事物符合自己的心意或愿望。 |
| | 十分～这里的条件 | 动词 | 表示“对……感到满意”。 |

<table>
<tr><td>得意</td><td>极为～　～地说<br>～的作品<br>过分～</td><td>形容词</td><td>表示因为自己的成功而表现出骄傲。常含有贬义色彩。</td></tr>
<tr><td rowspan="2">满足</td><td>～于现状　很～</td><td rowspan="2">动词</td><td>表示自己感到足够了,不缺少什么了。语义比“满意”的程度高。</td></tr>
<tr><td>～条件　～愿望</td><td>表示愿望或要求得到实现,<br>使……满足。</td></tr>
<tr><td>自满</td><td>比较～　～的人<br>～倾向　～起来</td><td>形容词</td><td>表示满足于自己已经取得的成绩。一般不做状语。含贬义色彩。</td></tr>
</table>

## 24. 确定、肯定、明确、的确

<table>
<tr><th>词 / 组合</th><th>常见组合 / 例证</th><th>词 性</th><th>词 语 辨 析</th></tr>
<tr><td rowspan="2">确定</td><td>～答案　～下来</td><td>动词</td><td>表示把事物定下来。</td></tr>
<tr><td>～的时间<br>～的人数</td><td>形容词</td><td>表示明确而肯定的。一般不和“很、十分、非常”等词一起用。</td></tr>
</table>

<table>
<tr><td rowspan="2">肯定</td><td>～了我的想法</td><td>动词</td><td>表示对事物的认同，承认事物的存在或事物的真实性。</td></tr>
<tr><td>十分～　不太～</td><td>形容词</td><td>表示承认的、正面的。可以和“很、十分、非常”等词一起用。</td></tr>
<tr><td rowspan="2">明确</td><td>～每个人的任务<br>～了目标</td><td>动词</td><td>表示把模糊的事情弄清楚并且确定下来。</td></tr>
<tr><td>目标十分～<br>观点～</td><td>形容词</td><td>表示（认识、目标等抽象事物）不模糊、很清楚。可以和“很、十分、非常”等词一起用。</td></tr>
<tr><td>的确</td><td>～是个好老师<br>质量～不错</td><td>副词</td><td>表示完全真实可靠、实在。</td></tr>
</table>

## 25. 熟悉、熟练、知道、认识

| 词／组合 | 常见组合／例证 | 词性 | 词语辨析 |
| --- | --- | --- | --- |
| 熟悉 | ～这里的每一条路<br>～他的情况 | 动词 | 表示对人、对事物的认知，即知道得很清楚。程度比“知道”和“认识”深。 |
| | ～极了　不太～ | 形容词 | 表示知道得很清楚，有很深的了解。 |
| 熟练 | 动作～　～工人<br>～地操作　工作～ | 形容词 | 表示工作、动作、技巧等因为经常做而有经验。 |
| 知道 | ～一些<br>～得不多 | 动词 | 表示对事实有了解，对道理有认识。 |
| 认识 | 不～　～一部分 | 动词 | 表示能辨明并确定某人或物是自己见过的。宾语常常是人，不能是情况。程度比“知道”深。 |
| | ～不清楚<br>较深的～ | 名词 | 表示人脑对客观事物的反映。 |

## 26. 突然、猛然、忽然、仍然

| 词／组合 | 常见组合／例证 | 词性 | 词语辨析 |
|---|---|---|---|
| 突然 | 太～了　～事件<br>～发生　～听见 | 形容词 | 表示情况在很短的时间里发生，出乎意料。可做定语、谓语和状语。 |
| 猛然 | ～站起来<br>～清醒<br>～回头<br>～遇见 | 副词 | 表示突然，但动作大，力量强。语义比“突然”“忽然”重。只做状语。 |
| 忽然 | ～听见<br>～下起雨来 | 副词 | 表示突然。只做状语。 |
| 仍然 | ～那么健康<br>～很暖和<br>～是老样子 | 副词 | 表示情况继续，没有改变。只做状语。 |
| | ～很糊涂<br>～放回原处 | | 经过短时间改变后恢复了原来的状况。只做状语。 |

**27. 合适、适合、适宜、符合**

| 词／组合 | 常见组合／例证 | 词性 | 词语辨析 |
| --- | --- | --- | --- |
| 合适 | 不太～　十分～ | 形容词 | 表示实际情况跟要求一样，没有矛盾。不能做状语，不能带宾语。 |
| 适合 | ～学习　～当老师<br>～养鸟　～训练 | 动词 | 表示合适。可以做状语，可带宾语。 |
| 适宜 | 温度～　应对～<br>～休养<br>不～干性皮肤 | 形容词 | 表示合适，重点指符合某种要求。书面语词。 |
| 符合 | ～条件　～规定<br>～政策　～手续 | 动词 | 表示实际情况与要求、条件一致，达到了规定。 |

**28. 差别、差异、区别、分别**

| 词／组合 | 常见组合／例证 | 词性 | 词语辨析 |
| --- | --- | --- | --- |
| 差别 | ～不大　有～<br>质量上的～ | 名词 | 表示形式和内容的不同，重点指它们之间的好坏、大小、强弱等方面的不同。书面语和口语都用。 |

<table>
<tr><td>差异</td><td>～显著　巨大的～</td><td>名词</td><td>表示差别、不同。书面语。程度比“差别”深。</td></tr>
<tr><td rowspan="2">区别</td><td>～好坏　加以～</td><td>动词</td><td>表示把两个以上的对象加以比较，并根据它们之间的差异把它们划分开来。</td></tr>
<tr><td>本质～　～明显</td><td>名词</td><td>表示两个事物彼此不同的地方，包括内在的和外在的。</td></tr>
<tr><td rowspan="4">分别</td><td>没什么～<br>两者的～</td><td>名词</td><td>表示两个事物之间不同的方面，一般指外在的。</td></tr>
<tr><td>～是非　～不清</td><td rowspan="2">动词</td><td>表示辨别，把不同的事物划分出来，强调划分出来的目的是为了揭示事物之间的差异。</td></tr>
<tr><td>～了很久　暂时～</td><td>表示分开，离别。</td></tr>
<tr><td>～对待　～处理</td><td>副词</td><td>表示各自采取不同的态度、方式或情况各不相同。</td></tr>
</table>

## 29. 利用、使用、应用、运用

| 词 / 组合 | 常见组合 / 例证 | 词 性 | 词 语 辨 析 |
| --- | --- | --- | --- |
| 利用 | ～资源　～机会 | 动词 | 表示使事物或人发挥作用。 |
| | 被人～　～熟人 | | 表示用手段使事物或人为自己服务。含贬义。 |
| 使用 | 停止～　～手段<br>～说明　～范围 | 动词 | 表示让人、物或者资源为某种目的服务。中性词。 |
| 应用 | ～于实践<br>～新技术<br>～广泛<br>～范围 | 动词 | 表示按照用途相应地、合理地使用，重点强调把……用到某个对象上，后面常常有介词“到、于”。中性词。 |
| | ～文　～科学 | 形容词 | 表示直接用于生活或生产的。 |
| 运用 | 灵活～　～自如<br>熟练～<br>～先进技术 | 动词 | 表示根据事物用途灵活地使用。中性词。 |

## 30. 考察、调查、考验、观察、视察

| 词 / 组合 | 常见组合 / 例证 | 词性 | 词语辨析 |
|---|---|---|---|
| 考察 | ～北极　～地形<br>进行～　～农村 | 动词 | 表示在实际中认真仔细地观察、研究事物(如地形、工程、运动等)或人的本质。 |
| 调查 | ～案件　～清楚 | 动词 | 表示为了解决某个问题或取得证据而考察、了解情况,多指到现场的。 |
| | ～报告　～人员 | 名词 | 表示调查这一行为本身。 |
| 考验 | ～真心　～毅力 | 动词 | 表示在困难的环境下对人进行检验、审查,看看是否够坚定、忠诚、正确。 |
| | 接受～　人生～<br>严酷的～ | 名词 | 表示经受到的检验、审查。 |
| 观察 | 仔细～　～形势<br>～气候　～病情 | 动词 | 表示仔细观看客观事物和各种现象。 |
| 视察 | ～工作　～工地<br>～地形　～情况 | 动词 | 表示上级领导到下级单位去检查工作、了解情况。 |

## 31. 相关、相当、相似、相互

| 词 / 组合 | 常见组合 / 例证 | 词 性 | 词 语 辨 析 |
|---|---|---|---|
| 相关 | 密切～ 息息～<br>～部门 ～情况 | 动词 | 表示两个事物之间相互有关联、有联系。常见的固定搭配是“与……相关”。 |
| 相当 | 大体～ 实力～ | 形容词 | 表示数量、条件、价值等方面差不多。 |
| | ～的字眼 ～的人 | | 表示合适的。 |
| | ～不错 ～困难 | 副词 | 表示程度高。 |
| 相似 | 长相～ 外貌～<br>内容～ 结构～ | 形容词 | 表示两个事物有部分共同特点，外表看起来有一样的地方。 |
| 相互 | ～关心 ～了解<br>～信任 ～作用 | 副词 | 表示两个以上的人或物用同样的态度、方式、行为对待对方。 |
| | 力的作用是～的 | 形容词 | 表示有联系的双方用同样的态度、方式、行为对待对方。 |

## 32. 促进、导致、推动、以致

<table>
<tr><th>词／组合</th><th>常见组合／例证</th><th>词性</th><th>词语辨析</th></tr>
<tr><td>促进</td><td>～发展　～团结<br>相互～　～友谊</td><td>动词</td><td>表示起积极作用，加快前进步伐、推动其发展。不能单独做谓语，必须带宾语或修饰语。</td></tr>
<tr><td>导致</td><td>～失败　～悲剧<br>～后果　～危机</td><td>动词</td><td>表示由于某种原因，造成某种结果，多指不好的结果。不能单独做谓语，一般情况下“导致”的主语和宾语都必须出现。</td></tr>
<tr><td rowspan="2">推动</td><td>～车轮　～前进</td><td rowspan="2">动词</td><td>表示对物体施力让它向前移动。具体事物做宾语。</td></tr>
<tr><td>～生产<br>～社会发展</td><td>表示使事物前进、使工作展开。抽象事物做宾语。</td></tr>
</table>

| 以致 | 他由于不小心，～这次受伤很严重。 | 连词 | 连接因果关系，前句是原因，后句是结果，常常是不好的或说话人不希望出现的结果。 |
|---|---|---|---|

**33. 情况、地步、情节、情景**

| 词／组合 | 常见组合／例证 | 词性 | 词语辨析 |
|---|---|---|---|
| 情况 | 内部～　～紧急<br>了解～　熟悉～ | 名词 | 表示具体场合下事物存在的样子，可以是具体的，也可以是抽象的。 |
| | 新～　有～ | | 表示事情的发生和变化。 |
| 地步 | 穷到吃不饱饭的～。<br>闹到这样的～。<br>事情到了不可收拾的～。 | 名词 | 表示事件发展的程度或人的处境，多指不好的景况。不能单用，一般需要加上定语，通常是复杂定语。 |

| | | | |
|---|---|---|---|
| 情节 | 故事～　～感人 | 名词 | 表示事情的发生、演变和经过。 |
| | ～较轻　～严重 | | 表示错误或者罪行的具体情况。 |
| 情景 | ～对话　当时的～　生活～　看到这种～ | 名词 | 表示具体场合的状况、现象和情形。 |

## 34. 途径、做法、道路、措施

| 词／组合 | 常见组合／例证 | 词性 | 词语辨析 |
|---|---|---|---|
| 途径 | 有效～　外交～　正当～　多种～ | 名词 | 表示方式方法、路途，一般指抽象的方式、路途，包括为达到目的所采取的手段、措施、步骤、过程等。多用于书面语。 |
| 做法 | 采取某种～　新的～　～不妥　～太过分 | 名词 | 表示处理事情或制作物品的方法。多用于口语。 |
| 道路 | ～宽广　～曲折　人生的～　～艰难 | 名词 | 本来指地面上用来通行的部分，后比喻人生所走的路。口语和书面语都常用。 |

| | | | |
|---|---|---|---|
| 措施 | 有效～　采取～<br>一项～　～及时 | 名词 | 表示针对某种情况而采用的处理手段、方式、步骤，多用于较大的事情。多用于书面语。 |

**35. 交易、交通、交流、交际**

| 词／组合 | 常见组合／例证 | 词性 | 词语辨析 |
|---|---|---|---|
| 交易 | 一笔（场）～<br>金钱～　作～　～会 | 名词 | 表示买卖商品或者条件交换的活动。 |
| 交通 | 公共～　～便利<br>～堵塞　～拥挤 | 名词 | 表示铁路、公路、航空、航海等事业的总称。不受数量词修饰。 |
| 交流 | 广泛～　～经验<br>文化～　人才～ | 动词 | 表示双方之间都把自己所拥有的东西提供给对方，达到互相沟通、增加相互之间的了解和加深双方关系的目的，多指比较抽象的事物（如文化、思想、经验、技术等）。 |

| | | | |
|---|---|---|---|
| 交际 | ～圈 ～很广<br>～范围 | 动词 | 表示人在社会中与他人或集体之间的来往和应酬。 |
| | 喜欢～ | | 表示与他人交朋友。 |

## 36. 发动、发挥、发表、发达

| 词/组合 | 常见组合/例证 | 词性 | 词语辨析 |
|---|---|---|---|
| 发动 | ～战争 ～大家 | 动词 | 表示开始做某事或者使人行动起来。 |
| | ～机器 ～汽车 | | 表示使机器开始运转。 |
| 发挥 | ～特长 ～作用<br>～优势 ～力量<br>～水平 | 动词 | 表示把内在的水平、性能、力量、作用等表现出来。一般只能带名词性宾语。 |
| 发表 | ～见解 ～演说<br>～观点 | 动词 | 表示把事情公开出来让大家知道。 |
| | ～文章 ～作品 | | 表示公开出版。 |
| 发达 | 十分～ 交通～<br>～国家 科技～ | 形容词 | 表示(人的大脑、科技、语言、经济、交通等)已经有了充分的发展，达到了较高的程度、水平。 |

## 37. 显示、显然、明显、显得

| 词 / 组合 | 常见组合 / 例证 | 词 性 | 词 语 辨 析 |
| --- | --- | --- | --- |
| 显示 | ～出智慧　～出气概　～实力　～才能　～水平 | 动词 | 表示力量、作用、性能等明显地表现出来。常与“出”搭配。 |
| 显然 | 事情很～<br>～不合理<br>～是假的 | 形容词 | 表示事实、形势、道理等很清楚地摆在面前。 |
| | 动机很～<br>～他不高兴<br>～有预谋 | | 表示态度或意图非常容易看出或感觉到。 |
| 明显 | ～的变化<br>目标～<br>用意～<br>～减少 | 形容词 | 表示（界限、标记、距离、状况等）清楚地显露出来，容易让人看到或感觉到。一般做定语或谓语。有时也做状语，修饰表示变化的动词。 |
| 显得 | ～很轻松<br>～很笨重<br>～乱<br>～很落后 | 动词 | 意思是呈现出某种情形、状态或状况。一般不单独用，一般做谓语。 |

## 38. 气氛、气概、气质、气派

| 词／组合 | 常见组合／例证 | 词性 | 词语辨析 |
|---|---|---|---|
| 气氛 | 紧张的～<br>友好的～<br>～轻松<br>～严肃<br>～恐怖 | 名词 | 表示在一种能使人感受到某种情绪或景象（如冷清、热闹、紧张等）的环境中。 |
| 气概 | 大无畏的～<br>英雄～ | 名词 | 表示一个人在困难或危险面前表现出来的一种精神或勇气。 |
| | 男子汉～<br>～非凡 | | 表示举止行为中表现出来的一种气度。多用于褒义。 |
| 气质 | 艺术家～<br>独特的～<br>～典雅<br>高贵的～ | 名词 | 表示人的举止、性情、装扮、思想等表现出来的风格特点。 |
| 气派 | 他的～　大家～ | 名词 | 表示人的作风、排场。 |
| | ～豪华<br>现代化的～ | | 表示某些事物（如建筑物等）表现出来的气势。 |
| | 看上去很～<br>～的大厅 | 形容词 | 表示排场大、气势豪华。 |

## 39. 发觉、发扬、发现、发明

| 词 / 组合 | 常见组合 / 例证 | 词 性 | 词 语 辨 析 |
|---|---|---|---|
| 发觉 | ～上当<br>～不对劲<br>～钱包丢了<br>～自己受伤了 | 动词 | 表示开始知道或感觉到（以前不知道或没有注意到的事）。不能单独做谓语。 |
| 发扬 | ～风格 ～传统<br>～艰苦奋斗的作风 | 动词 | 指发展和提倡优良作风及传统。 |
| 发现 | ～问题<br>～新情况<br>～一个秘密 | 动词 | 表示经过研究和探索，看到或找到前人没有看到的事物或规律。 |
| | ～上当 ～书丢了 | | 同“发觉”。 |
| | 一项重大～<br>考古新～ | 名词 | 表示找到的或者发觉的前人不知道的事物。量词常用“项”。 |
| 发明 | ～新技术<br>～电话 | 动词 | 意思是创造出新的事物或方法。 |
| | 一项新～<br>科学～ | 名词 | 表示创造出来的新事物或者新方法。 |

## 40. 进行、举行、实行、流行

| 词/组合 | 常见组合/例证 | 词性 | 词语辨析 |
| --- | --- | --- | --- |
| 进行 | ～讨论 ～研究<br>～教育<br>～得很顺利 | 动词 | 指从事某种实践活动。常用于持续的、正式的、严肃的行为,如“研究、考察”等。带谓词性宾语。 |
| 举行 | ～婚礼 ～比赛<br>～晚会 ～会谈 | 动词 | 表示举办某种活动。宾语一般为“集会、比赛、仪式”等。带名词性宾语。 |
| 实行 | ～方针 ～政策<br>～主张 ～民主<br>～严格的管理 | 动词 | 意思是用行动来实现纲领、政策、制度、计划等。 |
| 流行 | ～歌曲 ～语<br>～色 | 形容词 | 表示在一个时代或地域传播广泛的(艺术、观点、民俗、时尚、语言,甚至疾病等)。 |
|  | ～便装 非典～ | 动词 | 表示一段时间或一定地域内广泛传播。 |

## 41. 随手、随时、随便、随着

| 词/组合 | 常见组合/例证 | 词性 | 词语辨析 |
| --- | --- | --- | --- |
| 随手 | ～关门<br>～扔掉了<br>～抓起杯子<br>～写了几个字 | 副词 | 表示做一件事情的同时趁着方便做另一件事，侧重于表达很自然地、捎带着做点儿什么。 |
| 随时 | ～提问　～观察<br>～可能出现<br>～上门服务<br>～就餐 | 副词 | 表示不限制具体时间，什么时间都可以。一种表示任何时间都可能的，全天候的；一种表示有需要或可能的时候就(做)。 |
| 随便 | 太～了<br>穿衣很～<br>～吃<br>～聊 | 形容词 | 表示做事不给以限制，不受约束，想怎样就怎样，怎么方便就怎么做。 |
| 随着 | ～时间的推移<br>～改革的深入<br>～水平的提高<br>～技术的进步<br>～经济的发展 | 动词 | 表示一个事物、现象伴随着另一个事物、现象的发展而发展。常带“N的V”类宾语。 |

## 42. 消耗、消费、消除、消化

| 词 / 组合 | 常见组合 / 例证 | 词 性 | 词 语 辨 析 |
| --- | --- | --- | --- |
| 消耗 | ～体力　～钱财<br>～能源　～时间 | 动词 | 表示精神、力量或资源等因使用或受损失而渐渐减少。一般只能带名词性宾语，如“物力、财力、精力、能量”等。 |
|  | 体力～　人员～ | 名词 | 表示精神、力量、资源方面的减少或损失。 |
| 消费 | 合理～　～者<br>高～　鼓励～<br>～水平 | 动词 | 表示为了满足生产或生活的需要而花费物质财富。一般不带宾语。 |
| 消除 | ～疲劳　～矛盾<br>～误会<br>～战争威胁 | 动词 | 表示使不存在、使消失。宾语多是不好的抽象事物，如“误会、矛盾、隐患、灾害、障碍、不良影响”等。 |

| 消化 | ～不良　～食物 | 动词 | 表示食物在体内经过物理和化学作用变成能够被身体吸收的营养物质。 |
|---|---|---|---|
| | ～不了　～知识 | | 比喻理解、吸收所学的知识。一般只能带名词性宾语。 |

## 43. 以免、难免、困难、难以

| 词／组合 | 常见组合／例证 | 词性 | 词语辨析 |
|---|---|---|---|
| 以免 | 过马路要走人行横道，～发生意外。 | 连词 | 用在复句中第二分句的开头，表示避免下文所说的情况发生。多用于书面语。 |
| 难免 | ～的事　情况～<br>～生气　～要吃亏 | 形容词 | 表示很难避免，免不了会发生。 |
| 困难 | 生活～　～户 | 形容词 | 表示因经济条件不好或事情复杂、阻碍多而做起来吃力、费时。 |
| | 解决～　克服～ | 名词 | 表示穷困的状况，或不易解决的问题和阻碍。 |

| | | | |
|---|---|---|---|
| 难以 | ～形容 ～忍受<br>～相信 ～平静 | 动词 | 表示不容易、不易于做某事。不能单独做谓语，后面必须出现谓词性宾语(双音节动词或形容词)。多用于书面语。 |

## 44. 分明、分开、分配、分布

| 词/组合 | 常见组合/例证 | 词性 | 词语辨析 |
|---|---|---|---|
| 分明 | 是非～ 黑白～ | 形容词 | 表示界限不混淆，分得很清楚。不能直接做定语，常做谓语。 |
| | 你～见过他，怎么说不认识呢？ | | 表示道理或事实很明显，很清楚。做状语。 |
| 分开 | ～活动 ～住 | 动词 | 表示人或事物不聚在一起。 |
| | ～人群 ～来看<br>～解决 | | 表示使两者分离。中间可插入“得、不”，构成“分得开/分不开”。 |

<table>
<tr><td rowspan="2">分配</td><td>～土地　～物资</td><td rowspan="2">动词</td><td>表示按照一定的标准或规定分发。</td></tr>
<tr><td>～任务　～工作</td><td>表示安排或分派工作、人员、事物。只能带名词性宾语。</td></tr>
<tr><td>分布</td><td>～情况　～地区<br>～合理　～均匀</td><td>动词</td><td>表示分散在一定地区或范围的各处。多用于指人、语言、动植物、矿物。书面语。</td></tr>
</table>

## 45. 安静、平静、宁静、冷静

| 词 / 组合 | 常见组合 / 例证 | 词 性 | 词 语 辨 析 |
|---|---|---|---|
| 安静 | 保持～　十分～<br>～的环境<br>喜欢～ | 形容词 | 表示环境里没有噪音。多指室内或房间周围。常用做谓语，也常用于祈使句。 |
| 平静 | ～的生活<br>～的语调<br>心情～下来<br>神态～ | 形容词 | 表示（环境、人的心情、表情等）没有不安和动荡，平和稳定。 |

| | | | |
|---|---|---|---|
| 宁静 | ～的早晨<br>～的夜晚<br>非常～<br>～的心情 | 形容词 | 表示使人感觉不紧张的、安宁的环境。多指外部自然环境，有时也可以指人的心情。常用做定语，多用于书面语。 |
| 冷静 | 头脑～　保持～<br>～地分析<br>～地思考 | 形容词 | 表示做事或处理问题时采取理性的态度，不感情用事。可重叠使用。 |

## 46. 纯正、纯洁、地道、标准

| 词／组合 | 常见组合／例证 | 词性 | 词语辨析 |
|---|---|---|---|
| 纯正 | 口味～<br>～的血统<br>口音很～ | 形容词 | 表示质地、组成不搀杂别的成分，侧重于“感觉、味道、组成”等抽象事物。 |
| 纯洁 | ～的友谊<br>～的爱情<br>心地～<br>思想～ | 形容词 | 表示道德、动机、观念单一清白，没有私心和污点。多用做定语。褒义词。 |

<table>
<tr><td rowspan="2">地道<br>(dao)</td><td>～的咖啡<br>～的川菜</td><td rowspan="2">形容词</td><td>表示原汁原味的、正宗的（菜系或物产）。</td></tr>
<tr><td>～的普通话<br>～的南方姑娘</td><td>表示够标准的、真正的。可重叠使用做定语，如“地地道道的北京人”。</td></tr>
<tr><td rowspan="2">标准</td><td>～过高　不合～</td><td>名词</td><td>表示衡量事物的准则、尺度。</td></tr>
<tr><td>～的北京腔<br>非常～</td><td>形容词</td><td>表示符合准则的。</td></tr>
</table>

## 47. 气候、气象、气温、天气

<table>
<tr><th>词 / 组合</th><th>常见组合 / 例证</th><th>词性</th><th>词语辨析</th></tr>
<tr><td rowspan="2">气候</td><td>～反常<br>海洋性～</td><td rowspan="2">名词</td><td>表示在一定地区内经过多年观察所得到的概括性的气象情况。</td></tr>
<tr><td>政治～<br>成不了～</td><td>比喻动向、情势或结果。</td></tr>
<tr><td>气象</td><td>～变化　～专家<br>～知识　～资料</td><td>名词</td><td>泛指大气层状况和各种自然现象，如刮风、下雨、下雪等。</td></tr>
</table>

| 气温 | 最高～ 当地的～<br>～下降 ～变化 | 名词 | 表示空气的温度。 |
|---|---|---|---|
| 天气 | ～好 ～预报<br>～形势 阴雨～ | 名词 | 表示在较小地区，较短时间（如一天或者几天）内大气中发生的各种气象变化，如温度、降水、风、云等的情况。口语词。 |

## 48. 引起、产生、引进、引导

| 词／组合 | 常见组合／例证 | 词性 | 词语辨析 |
|---|---|---|---|
| 引起 | ～注意 ～怀疑<br>～反感 由感冒～ | 动词 | 表示一种事情、现象、活动使另一种事情、现象、活动随之出现。可构成“由……引起”的固定格式。 |
| 产生 | ～矛盾 ～影响 | 动词 | 表示从已有的事物中生出新的事物。 |
| | ～怀疑<br>～了一个念头 | | 表示生出（思想、希望等）。 |
| | ～出一批人才 | | 表示出现。 |

| | | | |
|---|---|---|---|
| 引进 | ～人才　～技术<br>～管理经验<br>～设备 | 动词 | 表示从外地或者外国引入。 |
| 引导 | 加以～　积极～<br>～大家参观<br>正确～孩子 | 动词 | 表示在前面引路，带领。常带谓词性宾语或小句宾语。 |

**49. 必要、必须、必需、需要**

| 词／组合 | 常见组合／例证 | 词性 | 词语辨析 |
|---|---|---|---|
| 必要 | ～的措施<br>～的条件<br>～的准备<br>没有这个～ | 形容词 | 表示不可缺少的，需要的。语气比“需要”重，强调过程中的必不可少。做定语，中心语如果是单个名词，中间的“的”可省略。 |
| 必须 | ～冷静　～努力 | 副词 | 表示事理上或者情理上要求。只能在句中做状语，修饰谓词性成分。表示否定时用“无须”或“不必”。 |
| | ～说清楚<br>～弄明白 | | 表示一定要。 |
| | 明天～去<br>你～上课 | | 用于加强命令口气。 |

| 必需 | 生活～　日常～<br>～的支出<br>所～的资金 | 动词 | 表示一定得有、不可少的。做谓语或定语，也可以构成所字结构。<br>与“必须”不同，“必需”是说“非有不可”，“必须”是说“非这样不可”。 |
|---|---|---|---|
| 需要 | ～时间　～帮助<br>～安静　～休息 | 动词 | 表示应该有或者一定要有。 |
| | 经济～　精神～ | 名词 | 表示在物质或精神上的要求。 |

50. 强烈、猛烈、剧烈、激烈

| 词 / 组合 | 常见组合 / 例证 | 词性 | 词语辨析 |
|---|---|---|---|
| 强烈 | 阳光～<br>～的愿望 | 形容词 | 常用来形容“光线、感情、意愿、色彩、气味、态度”等抽象事物。形容极强的、有力的。 |
| | 对比～　反应～ | | 形容鲜明的、程度很高的。 |
| | ～抗议　～要求 | | 形容强硬、激烈。 |

| | | | |
|---|---|---|---|
| 猛烈 | 火势～<br>～的炮火<br>～地冲击<br>～的进攻 | 形容词 | 形容来势猛，气势大，力量大。常用来形容“风、雨、水、火、攻势”等现象。 |
| 剧烈 | ～的运动<br>～的震动<br>～的疼痛<br>～的变化 | 形容词 | 形容运动、变化、斗争、疼痛等急剧、厉害，强调速度快。 |
| 激烈 | 言辞～<br>～的冲突<br>～的比赛<br>过于～ | 形容词 | 形容动作、言论、比赛等紧张、尖锐，强调对立性强。 |

## 51. 本来、原来、原本、原先

| 词 / 组合 | 常见组合 / 例证 | 词性 | 词语辨析 |
|---|---|---|---|
| 本来 | ～的样子<br>～的颜色 | 形容词 | 表示原有的。只能修饰名词，做定语。 |
| | ～打算去颐和园的，可是下雨了，所以就待在家了。 | 副词 | 表示先前的情况与后来的情况不一样，强调前后的事实、意见相对立。 |
| | ～就不该去 | | 表示按道理就该这样。 |

<table>
<tr><td rowspan="3">原来</td><td>～的名字<br>～的工作</td><td>形容词</td><td>表示没有改变前的。不单独做谓语，修饰名词要加“的”。</td></tr>
<tr><td>～是你打的电话啊！</td><td rowspan="2">副词</td><td>表示发现了从前不知道的情况，有恍然大悟的意思。一般用于句子开头，连接表示原因的句子。</td></tr>
<tr><td>～住在郊区</td><td>表示以前的某一个时期，当初。</td></tr>
<tr><td rowspan="2">原本</td><td>他～住在山东。</td><td rowspan="2">副词</td><td>表示以前的某一个时期，当初。</td></tr>
<tr><td>～打算下个月回去，可是有急事，只好提前了。</td><td>表示先前的情况，强调与后来的情况不一样。</td></tr>
<tr><td>原先</td><td>这里～是一片麦田。<br>照～的计划做。</td><td>形容词</td><td>表示从前，起初。可用于主语前。原先侧重于表达时间在先；“原来”侧重于表达当初的情况；“原本”侧重于表达本来的情况。</td></tr>
</table>

## 52. 表明、表现、表示、表达

| 词／组合 | 常见组合／例证 | 词性 | 词语辨析 |
| --- | --- | --- | --- |
| 表明 | ～立场　充分～<br>～身份　～心迹 | 动词 | 指把思想、态度、决心、情况等内在的特点或性质表示清楚。 |
| 表现 | ～在许多方面<br>～出不满 | 动词 | 指表示出来。 |
| | 爱～自己 | | 故意显示自己以引起他人注意，多含贬义。 |
| | ～很勇敢<br>这段时间的～不错 | 名词 | 指在生活、工作、学习等方面显示出来的行为、作风或事物的状况、现象。 |
| 表示 | ～同意　～欢迎<br>明确～ | 动词 | 意思是通过语言、行为显出某种思想、态度、意图等。 |
| | ～请勿打扰<br>～遇到了危险 | | 意思是事物本身显出某种意义或凭借某种事物显出某种意义。 |
| | 爱慕的～<br>不满的～ | 名词 | 指显出思想、感情的语言、事物、行动或神情。 |

| 表达 | ～心意　～方式<br>～不清　口头～ | 动词 | 指用言语或行动表示出自己的感情或思想。 |
|---|---|---|---|

## 53. 念头、说法、意见、思想

| 词／组合 | 常见组合／例证 | 词性 | 词语辨析 |
|---|---|---|---|
| 念头 | 产生了一个～<br>坏～<br>奇怪的～ | 名词 | 表示心里的想法，这个想法是刚刚产生的、不成熟的、不确定的。口语词。 |
| 说法 | ～不一<br>各种～都有 | 名词 | 表示对事物的认识和观点。 |
| | 这个意思可以有两种～　换一个～ | | 表示说明的方式、解释、措辞。 |
| 意见 | 提出～　～正确<br>交换～　～不一致 | 名词 | 表示认为因某事不合理而产生的不满或提出的批判性看法。动词一般用“发表”。 |
| 思想 | ～理论水平<br>～准备<br>～斗争<br>～境界 | 名词 | 表示人对客观现实和事物本质的理解和认识。 |

## 54. 形象、形状、形势、形式

| 词 / 组合 | 常见组合 / 例证 | 词性 | 词语辨析 |
|---|---|---|---|
| 形象 | 个人～　艺术～<br>～生动 | 名词 | 表示个人给他人的感觉、印象。 |
| | ～地描述<br>～的说明 | 形容词 | 表示具体、生动、逼真。 |
| 形状 | ～不同<br>奇怪的～<br>～各异<br>车的～ | 名词 | 表示物体或图形由外部的面或者线条组合而呈现出来的外表。 |
| 形势 | 经济～　～紧张<br>～稳定<br>有利的～ | 名词 | 表示事物发展变化的情况和趋势。 |
| 形式 | 艺术～　组织～<br>～主义　～特别 | 名词 | 表示事物的形状、结构等。<br>“形式”是形状、样子或者事物的外貌，既可以指具体事物，也可以指抽象事物，使用范围较宽；“形状”一般只用来表示具体事物。 |

## 55. 已经、过去、从前、曾经

| 词/组合 | 常见组合/例证 | 词性 | 词语辨析 |
|---|---|---|---|
| 已经 | ～解决了<br>～开始了<br>～春天了 | 副词 | 表示动作、变化完成或达到某种程度，对现在有一定影响。直接修饰名词时必须在最后加“了”。 |
| 过去 | ～，我是一个开车的。<br>我～是在政府工作的。 | 名词 | 表示以前、过去的时候。一般单独使用，可以出现在主语前，也可以出现在主语后。 |
| 从前 | ～的样子<br>～的习惯<br>～，这里是一个农场 | 名词 | 表示以前、过去的时候。常出现在句子开头。 |
| | 现在可不比～了。 | | 表示以前的状态。 |
| 曾经 | ～来过　～看过<br>～学过　～有过 | 副词 | 表示某种行为或情况在过去某一个时间里发生或者出现过，对现在没有影响。用于主语后，做状语。多有助词“过”与之相配，不能修饰否定式。 |

## 56. 有意、意志、意味、意思

| 词／组合 | 常见组合／例证 | 词性 | 词语辨析 |
|---|---|---|---|
| 有意 | ～当老师<br>～和解 | 动词 | 表示有做某事的心思、愿望。带谓词性宾语。 |
| | 不是～的<br>～侮辱我 | 副词 | 表示有意识的、故意。 |
| 意志 | 坚强的～<br>～薄弱<br>～坚定<br>不屈的～ | 名词 | 表示决定达到目的而产生的心理状态，强调决心、信念和毅力。多用于大的方面，常跟动词“磨炼、锻炼”搭配。 |
| 意味 | 含讽刺～<br>有赞美的～ | 名词 | 表示含蓄的、内在的意思。 |
| | 秋天的～<br>～无穷 | | 表示情调、情趣。 |
| | ～着拒绝<br>～着失败 | 动词 | 与“着”合用，“意味着”意思是“代表着、标志着、表示”。后面常接句子宾语或动词宾语。 |

| | | | |
|---|---|---|---|
| 意思 | 中心～<br>～不明白 | 名词 | 表示语言文字或其他信号所表达的意义、思想内容。 |
| | 我的～还是别去。<br>一点儿小～ 请收下吧。 | | 表示意见、愿望、心意。 |
| | 看起来有要吵架的～。 | | 表示趋势、苗头。 |
| | 节目太有～了。 | | 表示情趣，趣味。 |
| | 只是想～一下儿。<br>买点儿东西～～。 | 动词 | 表达自己的心意，常用于指送礼。有时用重叠形式“意思意思”和“意思一下儿”。 |

## 57. 在于、对于、至于、关于

| 词 / 组合 | 常见组合 / 例证 | 词 性 | 词 语 辨 析 |
|---|---|---|---|
| 在于 | 问题～时间来不及 | 动词 | 指出事物的本质所在。不能单独做谓语，必须带宾语，主语多为名词性的。 |
| | 能不能按时完成～态度是否认真。 | | 表示取决于，由……来决定。主语多为正反问句形式。 |

| | | | |
|---|---|---|---|
| 对于 | ～粮食问题<br>～好人好事<br>～怎样提高自己的语言水平<br>～人民币升值 | 介词 | 表示人、事物、行为之间的对待关系。当组成介词短语做状语时,可以用于句子开头,也可以用于主语后面。“对于”多跟名词短语组合,也可以跟动词或小句组合。 |
| 至于 | 这么小的事情,不～那么生气吧。 | 副词 | 表示达到某种程度,常用否定形式“不至于”。 |
| | 你先上着吧 ～学费,我再想办法。 | 连词 | 用于改变话题,提起另一件事。 |
| 关于 | ～人际关系<br>～工资<br>～这件事<br>～婚姻和家庭问题 | 介词 | 表示动作所联系的人或事物,事物所涉及的范围。组成介词短语做状语时只能用于句子开头,做定语时后面常有“的”。<br>“关于”常用以引出关联、涉及的事物;“对于”常用以指出对象。 |

## 58. 采用、采集、采取、采购

| 词/组合 | 常见组合/例证 | 词性 | 词语辨析 |
| --- | --- | --- | --- |
| 采用 | ～新方法<br>～新技术<br>加以～　未被～ | 动词 | 表示认为合适而使用，常常与“方法”搭配。 |
| 采集 | ～样本　～证据<br>～标本　～数据 | 动词 | 表示收集某种东西。 |
| 采取 | ～行动　～措施<br>～办法<br>～新的形式 | 动词 | 指使用、施行某种形式、手段、态度、政策等。 |
| 采购 | ～物资　～设备<br>大量～　～电器 | 动词 | 表示选择购买，多指为机关或企业。 |
|  | 公司里的～<br>～员 | 名词 | 指担任采购工作的人。 |

## 59. 扩大、扩充、扩散、扩展

| 词/组合 | 常见组合/例证 | 词性 | 词语辨析 |
| --- | --- | --- | --- |
| 扩大 | ～场地　～生产<br>～面积　～交流<br>～规模　～影响 | 动词 | 表示使范围、规模等比原来加大。对象可以是具体的事物，也可以是抽象的事物。 |

| | | | |
|---|---|---|---|
| **扩充** | ～设备　～实力<br>～教师队伍<br>～资金 | 动词 | 表示扩大并补充，数量有所增加。 |
| **扩散** | 病毒～了<br>消息～了出去<br>癌细胞已～<br>虫害～到其他地区 | 动词 | 表示"病毒、消息、言论、声音"等扩大分散出去。 |
| **扩展** | ～道路<br>进一步～空间<br>～耕地面积<br>～到一千亩 | 动词 | 表示扩大并向外伸展，对象一般指面积、空间等。 |

## 60. 充满、充实、充分、充足

| 词/组合 | 常见组合/例证 | 词性 | 词语辨析 |
|---|---|---|---|
| **充满** | ～信心　～笑声<br>～乐趣<br>～紧张气氛 | 动词 | 表示布满、使到处都有（人群、阳光、力量、矛盾等）。 |
| **充实** | 生活～　内容～ | 形容词 | 表示内容、生活等充足、丰富。一般只做谓语。 |
| | ～新知识<br>～头脑 | 动词 | 表示加强，使……充足。 |

| | | | |
|---|---|---|---|
| 充分 | 理由～<br>～的准备 | 形容词 | 形容足够的（知识、信心、准备等）。 |
| | ～考虑 ～利用 | 副词 | 表示尽量、完全。 |
| 充足 | 光线～ 时间～<br>～的条件<br>～的资金 | 形容词 | 形容（钱、物品、阳光等）能够完全满足需要的。不做状语。 |

# 附录:第四部分 60 组核心词及常见组合辨析索引

## A



## B

## C

## D



## F

G



H

## L



## M

N



P



Q

## R



## S

## T



## W



## X

## Y

## Z